Dados Internacionais de Catalogação na Publicação (CIP)
(Câmara Brasileira do Livro, SP, Brasil)

Arrabal, José, 1946 -
Lendas brasileiras : Norte, Nordeste e Sudeste / José Arrabal ; ilustrações Sérgio Palmiro. – 3. ed. – São Paulo : Paulinas, 2008. – (Coleção mito & magia)

ISBN 978-85-356-0656-0

1. Lendas – Brasil I. Palmiro, Sérgio. II. Título. III. Série.

08-09026 CDD-398.20981

Índice para catálogo sistemático:

1. Brasil : Lendas : Folclore 398.20981

3ª edição – 2008
1ª reimpressão – 2012

Revisado conforme a nova ortografia.

Direção-geral
Maria Bernadete Boff

Direção de arte
Irma Cipriani

Gerente de produção
Felício Calegaro Neto

Coordenação editorial
Maria de Lourdes Belém

Revisão
Maria Cecília Pommella Bassarani

Produção de arte
Mariza de Souza Porto

Paulinas
Rua Dona Inácia Uchoa, 62
04110-020 – São Paulo – SP (Brasil)
Tel.: (11) 2125-3549 – Fax: (11) 2125-3548
http://www.paulinas.org.br – editora@paulinas.com.br
Telemarketinge SAC: 0800-7010081

José Arrabal

Lendas Brasileiras

Norte, Nordeste e Sudeste

Ilustrações:
Sérgio Palmiro

Para Frederico,
meu filho,
amigo e médico,
estas histórias do Brasil.

SUMÁRIO

REGIÃO NORTE

REGIÃO NORDESTE

REGIÃO SUDESTE

NORTE

A MATINTAPEREIRA

Nossa!

Que medo que eu sentia, quando ainda era garoto e a matintapereira rondava nossa casa, no meio da noite escura, lá, em Belém do Pará!

Mesmo com a porta trancada e as janelas fechadas, tudo no cadeado, era um medão sem tamanho, que não tinha pai, nem vô, mãe ou irmão mais velho que se mostrassem valentes, com coragem pra sair, espantar, pôr pra correr de lá de nosso quintal a danada da matinta!

Eu sei porque era assim que acontecia com a gente e, também, na vizinhança, fosse em casa de quem fosse.

Em noite de sexta-feira, quando a matinta chegava, com seu agudo piado, batendo as asas, nervosa, fazendo seu barulhão, era batata, eu garanto, já encontrava as famílias bem trancadas, resguardadas, se protegendo contra o ataque da maldita.

E ai de quem se encontrasse em rua, estrada ou lavoura!

Corria o maior perigo, toda sexta-feira à noite!

Claro que me lembro bem!

Como haveria de esquecer?!

E mais me recordo ainda que meu pai, por fim, notando a assombração cansada de tanto rondar a casa, fazia feito vovô, quando mais forte e mais novo.

Pegava o grande facão, que ficava bem guardado em um armário da sala, ia pro quarto dos fundos, de onde, bem protegido atrás da janela trancada, gritava para a bandida:

– Matinta! Suma daqui! Vá embora! Se afaste! – insistia papai. – Volte amanhã de manhã para buscar seu fumo e as prendas que vou lhe dar! – prometia à malvada.

Minha mãe ficava aflita, mas era o que mais bastava!

Logo, a matintapereira, soltando um forte piado, desses de arrepiar, batia as asas e ia, deixava nosso quintal, com certeza mais disposta a assombrar noutro canto.

Na manhã do dia seguinte, era batata, garanto!

Bem cedinho aparecia, lá na porta de casa, uma velhinha qualquer, sorrindo e asseverando que vinha buscar sua prenda, mais o fumo prometido.

E ai de quem não cumprisse a promessa efetuada!

A velha não ia embora.

Metia-se no quintal e se escondia por lá, sem que ninguém notasse qual o paradeiro dela.

Mais tarde, era tiro e queda!

Começava a sumir coisa.

Sumia coisa da casa e mais coisa do jardim.

E do quintal, muito mais!

Era frango, era pato, até leitão sumia.

Tudo por obra e graça da danada da Matinta.

Daí, o que precisava era arranjar muito fumo, cachaça e muita prenda, punhado de coisa boa colocada por aqui, por ali, por acolá, que contentasse a maldita, fazendo a velha ir embora.

Por isso, jamais meu pai deixou de cumprir sua dívida, pagando sempre as promessas que fazia às matintas.

Assim que chegava a velha, batendo na nossa porta, dava a ela prenda e fumo, nos livrando da coitada.

Isso sempre aconteceu!

E não só em nossa casa!

Na casa de um primo meu!

Na fazenda de um tio!

Em tudo quanto é lugar!

Pois, em Belém do Pará, não havia um vivente que não tivesse uma história de assombração com a matinta, fosse em casa, na rua, na estrada, na lavoura ou na beira-rio.

Uns diziam que as matintas existiam desde os tempos em que só havia índios pelas terras da Amazônia.

Que eram pássaros grandes que rondavam as aldeias, numa piação danada.

Que eram almas penadas dos mortos de cada tribo.

Que, por costume, também, eram encantamentos de pajés e feiticeiros, desse jeito transformados em matintas-pereiras.

Outros asseguravam que, depois, muito mais tarde, nos tempos do Imperador, as matintas, na verdade, eram curumins já mortos, que perturbavam os vivos.

Moleques muito danados, com apenas uma perna, sempre pitando cachimbo, trazendo sobre a cabeça um barrete cor de sangue.

Viviam criando encrenca.

Faziam mil travessuras, amedrontando as pessoas.

E, assim, só sossegavam ao ganhar algum tabaco, que metiam nos cachimbos, indo embora, às carreiras.

Uma história esquisita, coisa de se duvidar, verdadeira barafunda, pois a descrição parece muito mais apropriada para o saci-pererê, do que pra qualquer matinta de hoje ou de antigamente.

Contudo, há sempre alguém que teime com a confusão, insistindo que a matinta é o saci do Pará.

Já um irmão de mamãe, que vivia em Manaus, me falou que a malvada não passa de um velho doido que carrega maldição, o fardo de se tornar uma matintapereira, nas noites de sexta-feira. Que o velho, embora doido, é um mago poderoso. Que tem uma flauta grande, por onde sopra e imita qualquer pássaro da mata. Que, montado nessa flauta, ele consegue voar, indo assombrar as cidades, as vilas e os povoados, até que lhe dão cachaça e fumo para usar pelo resto da semana.

Já sendo quase rapaz, um meninote crescido, enfim, meu pai me explicou a verdade da questão.

Falou que qualquer matinta, fosse moça ou fosse velha, estando assim transformada, ora tinha corpo humano, sendo unhuda e cabeluda, ora era feito ave, um pássaro agigantado, com um pio arrepiante, sempre batendo as asas de um modo assustador.

Inclusive, me contou uma história muito antiga de um certo Tatão Ramiro, que era moço tocador de acordeão e viola, morador em Santarém, num sobradinho ajeitado, bem na beirada da praia, onde a água verde-azul do bonito Tapajós se encosta n'água barrenta do caudaloso Amazonas.

Falou que Tatão Ramiro, indo ele a uma festa onde havia de dar baile, bem naquela sexta-feira, perdeu a embarcação e ficou a ver navios, sem atravessar o rio.

Eis, porém, que o tal sujeito, logo naquele dia, tinha ajustado namoro com certa Júlia das Dores, moça linda e bem prendada de um povoado vizinho, estando, então, com a garota.

Quando já escurecia, sentado junto da moça, na areia branca do rio, olhando pro mar de águas do tranquilo Tapajós, sem ter como ir à festa, num repente o tal Tatão percebeu que a namorada, a sua Júlia das Dores, tinha virado matinta, uma ave bitelona, maior que dez gaviões, muito mais agigantada do que duas ou três águias.

Claro está que o tal sujeito quase desmaiou de medo. Mas, a matinta-pereira, se sentindo apaixonada, sossegou o namorado.

Falou que queria fumo e que, se ele arranjasse o tabaco que pedia, levava o rapaz à festa, indo com ele ao baile.

Tatão Ramiro apressou-se!

Deu fumo para a matinta e, depois, montou na ave, que assim levou o moço à outra margem do rio.

Lá, dançaram noite inteira, desde que, muito feliz, a bela Júlia das Dores se destransformou do monstro, tornando a ser moça linda.

Papai, que bem conhecia esse caso que contava, ainda me garantiu que a dupla se casou e que teve filharada.

Também, me adiantou que foi a filha mais velha do tal de Tatão Ramiro com a matintapereira quem herdou o duro fardo, o poder do encantamento de sua mãe, dona Júlia, quando esta faleceu.

Meu pai sabia de coisa e tinha história pra tudo!

De outra feita, detalhou que, quando morre uma velha, dessas que viram matinta, no correr de toda a noite em que acontece o velório, outras matintaspereiras rondam a casa da morta, piando fino e baixinho, como que se lamentando, mas, na verdade, deixando todo mundo apavorado.

Fato que, quando rapaz, já na idade de casar, decerto, testemunhei, em vila de pescadores da Ilha de Marajó, no velório da avó de uma noiva que eu tive e com quem não me casei!

Agora, que estou velho e que mudei para São Paulo, onde vim caçar trabalho, que arranjei, e casei, criei filhos, tenho netos e moro com minha velha, no bairro do Belenzinho, desde que me aposentei como zelador de prédio num condomínio fechado perto do Butantã, não mais me intrigo ou me assusto com histórias de matintas, ainda que haja muitas nas principais avenidas, nas praças e nos jardins, nos palácios da cidade!

Apenas, nas sextas-feiras, mal começa a escurecer, cuido de trancar a porta e, claro, fecho as janelas, indo direto dormir!

Nem ligo a televisão!

JURUPARI, O FILHO DO SOL

ouve um tempo muito antigo em que somente as mulheres governavam os povos.

Mandavam sem leis severas e sem costumes cruéis.

Em meio à boa paz, eram senhoras de todos, enquanto os homens, nas matas, colhiam os alimentos e caçavam para as tribos.

Eis que, por esse tempo em que não havia guerras nem maus desentendimentos, a bela e jovem Ceuci, num dia de muito sol, estando às margens do rio que hoje se chama Negro, após banhar-se nas águas, pôs-se, feliz, a comer uma cucura-do-mato, fruta doce e suculenta que, conforme se dizia, na aldeia em que morava, tinha gosto semelhante ao bom sabor da paixão nos lábios de alguém que ama.

Distraída com a fruta, em plena praia das águas, a jovem não percebeu que o caldo da cucura, tendo pingado em seus seios, logo alcançou o ventre, cobrindo assim o seu corpo.

O Sol, que a tudo assistia, lá, no alto do céu, em um céu todo lavado, completamente sem nuvens, azul feito araraúna, encantou-se com a moça.

Sendo senhor do dia, banhou Ceuci com seus raios, sorvendo toda a doçura da cucura-do--mato sobre o corpo da donzela.

E a moça, em meio à dança daquela magia plena, sentiu-se mãe da criança que, assim, herdou do Sol.

Não custou muito a nascer o menino de Ceuci.

Nasceu, também, em um dia de sol alegre no céu.

Um garoto diferente, pois, ao bater as mãozinhas, catando os seios da mãe, querendo se alimentar, fez ouvir sonora música com seus gestos de criança.

Logo, porém, o menino bem mais espantou sua gente, quando desapareceu dos braços de sua mãe, após ser amamentado.

Ninguém soube do garoto, nem explicou seu sumiço, muito menos seu destino. O que trouxe desacerto nas mentes e corações do pessoal da aldeia, que via, no acontecido, um sinal de sortilégio, de feitiço ou bruxaria.

Anúncio de que a paz em que viviam os povos se encontrava ameaçada.

Ceuci, muito preocupada, procurou deter o medo que atormentava a tribo.

Garantia para todos que bem sentia a presença de seu filho, na aldeia.

– Feito sombra disfarçada, na escuridão da noite, ele sobe em minha rede para mamar e brincar. Mesmo sendo invisível, é uma criança alegre, um menino carinhoso, incapaz de fazer mal a mim e a qualquer um – adiantava Ceuci, mostrando os seios vazios, provando, assim, que o filho havia mamado nela.

Por fim, o tempo passou e tudo tornou à calma da mesma vida de sempre.

Muitos até se esqueceram do menino de Ceuci, que por dura maldição, praga ou encantamento, logo desaparecera, bem no dia em que nasceu.

Já os que se lembravam dele, lembravam porque a mãe insistia em contar, a uns e outros da tribo, que por vezes percebia, mas não via, só sentia, por aqui ou acolá, a presença da criança, seja no meio da aldeia ou no centro da maloca, seja até mesmo na mata.

– Hoje, na praia do rio, senti meu filho nas águas, nadando, todo feliz! É um curumim esperto! Alegre feito ele só! – assegurava, teimosa, a jovem mãe do garoto.

Coisa que quem ouvia, nem sempre acreditava.

Só treze anos depois é que de fato o menino, já com corpo de rapaz, apareceu para a tribo, em manhã de sol bem quente, sendo reconhecido por Ceuci, por outras mães e, enfim, por todo o povo.

Era um moço muito lindo.

Alto, bastante forte, tinha os olhos bem brilhantes, os ombros grandes e largos, braços e mãos poderosos, mais postura de guerreiro, traço incomum entre os homens das gentes de sua aldeia.

Trajava roupas de plumas de arara, araraúna, tucano e pavão grená.

E trazia na cabeça, como belo ornamento, as amplas asas abertas de um gavião gigante.

Tinha, nas mãos, suas armas.

Lança, tacape, arco e flechas.

Todas da cor do sol, plenas de plumas douradas.

E, sem deixar se tocar, manteve a tribo a distância, pois nem sequer se aproximou da mãe que, emocionada, tinha os braços estendidos para receber o filho.

– Meu nome é Jurupari, o que é filho do Sol com a virgem Ceuci! – anunciou-se à tribo. – Sob as ordens de meu pai, venho mudar os costumes dos que vivem nas florestas desse mundão de terras e rios de águas grandes! Quero o mando para os homens que, assim, governarão as crianças, mais os velhos e, sobretudo, as mulheres! Exijo, também, respeito a meus mistérios sagrados, segredos que vou passar para os jovens da aldeia!

Dito isto, convocou todos os moços da tribo, reunindo-se com eles junto à praia do rio que hoje se chama Negro.

Já aos demais proibiu que aparecessem por lá, às margens daquelas águas.

Aos moços de sua gente, por rituais vigorosos, ensinou formas de luta e bem os submeteu às mais duras provações.

Fez com que aprendessem o que era ser valente e o que é a coragem. Assim como fez saber o que era o poder e de que forma um homem se torna um conquistador justo e vitorioso.

Também fez com que soubessem canções de briga e de paz.

Ensinou a fazer armas e instrumentos de som.

E bem ensinou as festas que, certamente, merecem os que cumprem seus deveres, quando plantam, quando colhem, quando caçam e nas lutas pelos direitos das tribos.

Depois sagrou seus guerreiros e, com eles, retornou à aldeia de sua gente, onde, com severidade, impôs costumes e leis.

Pediu respeito à memória dos bravos antepassados.

Determinou os cuidados que precisam as crianças.

E a devida atenção, toda a generosidade, que merecem os mais velhos.

Ordenou aos valentes que usassem de tolerância com as nações conquistadas.

Cuidou, também, de ensinar como é que se devia aproveitar a madeira das árvores da floresta.

Qual era a melhor palmeira, no uso de suas fibras.

E como bem escolher e, também, limpar a terra própria para plantação, cuidando de instruir que se devia evitar todo e qualquer desperdício no uso da natureza.

Assim, bem determinou as ocasiões mais certas para caçar e pescar.

Mais, exigiu que o plantio fosse feito para todos, sem abusos ou ganâncias.

E instruiu as aldeias nas artes de algumas trocas, permitindo que trocassem mulheres para casar e objetos de adorno, tais como plumas de aves e peles de animais ou pedrinhas coloridas.

Que trocassem até armas ou instrumentos de som.

Tudo com moderação!

Das mulheres, exigiu fidelidade aos maridos. E, logo, estabeleceu os seus ofícios na aldeia.

Proibiu suas presenças nos rituais dos guerreiros.

E quis que tivessem filhos, muitos filhos, para a tribo.

Além dos ritos sagrados, dos mais duros desafios dispostos secretamente para os curumins mais fortes, quando se tornavam homens, Jurupari, sem sigilo, ensinou a todo o povo como sepultar seus mortos e como devia agir nas cerimônias festivas, tanto para consagrar as crianças que nasciam como para festejar as meninas que alcançavam a idade de ser mãe.

Compôs mais mil mandamentos, leis e ordenações para justa obediência.

E, também, mil punições, para aqueles que ousassem descumprir suas ordens.

Claro está que não foi fácil consolidar os costumes de tamanhas novidades, pois, se a muitos alegraram, a outros descontentaram.

Daí surgiram rumores, muita coisa diferente, que jamais acontecera, quando o poder e o mando pertenciam às mulheres.

Houve até mesmo guerras!

O filho do Sol, porém, em meio a tais contratempos, não se deixou abater.

Com firmeza e mais rigor, fez com que sua aldeia e os demais povos das terras da vastidão da floresta e dos rios de águas grandes adotassem suas ordens e seu modo de viver, seguissem seus rituais, cumprissem suas cerimônias e se entregassem às festas, mais às comemorações prescritas por seu poder.

E, assim, bem garantiu, aos homens, seus seguidores, todo o governo das tribos.

Houve, porém, certa vez, um feito que entristeceu o bravo Jurupari.

Foi quando Ceuci, sua mãe, ousou desobedecer a sua lei mais severa.

Quando, em plena noite escura, tentada por seus desejos de se aproximar do filho, ela se meteu nas matas, indo até a beira-rio, onde os guerreiros da aldeia realizavam seus ritos, suas cerimônias secretas, proibidas para os olhos das mulheres e crianças.

Escondida em meio às árvores que circundavam a praia junto das águas do Negro, cometendo transgressão claramente inaceitável, pôs-se Ceuci a olhar o que lá acontecia.

Eis que ela foi descoberta, sendo, logo, aprisionada e levada até a tribo.

Ainda de madrugada, submeteram Ceuci à justiça do filho.

E o próprio Jurupari sentenciou sua mãe, que foi transformada em pedra, como exemplo para todos.

Quando chegou a manhã, o implacável juiz, sentindo no corpo a dor daquele dever cumprido, com um grito sem limites, tomou a pedra nas mãos, lançou a pedra no ar, bem na direção do Sol, ficando a pedra no céu, numa distância medonha, no alto do firmamento.

E, à noite, todos viram que Ceuci virara estrela.

Mais, viram Jurupari mirando o céu da floresta, sozinho, junto das águas, infeliz em seu silêncio, na praia do vasto rio que hoje se chama Negro.

Vinte anos se passaram, até que o filho do Sol deixou os povos da mata, indo para algum lugar que ninguém sabe onde é.

Partiu bastante seguro de suas ordenações, como tradição dos povos.

Às vezes, aparecia nos sonhos de uma criança, de uma jovem ou de um moço, das mulheres e dos homens, ou mesmo nos poucos sonhos dos mais velhos das aldeias, lembrando suas lições, caso alguém corresse o risco de esquecer os costumes e abandonar suas leis.

Depois, quando apareceu, nas terras da região, o mando do homem branco, este, astuto e de má-fé, espalhou pelas aldeias a mais perversa calúnia.

Disse que Jurupari era um demônio, um trem ruim, um espírito malvado, verdadeiro pesadelo que apertava as gargantas das crianças e dos jovens, das mulheres e dos homens, enquanto todos dormiam.

Também, cuidou de mudar as leis do filho do Sol, seus ritos e cerimônias, sobretudo, suas festas.

Desse modo, pretendia confundir e enfraquecer a confiança dos povos a quem chamava de índios.

Inclusive, esse homem branco, com suas invencionices, metendo temor nos povos, assegurou para todos que o grande senhor dos céus não era o dourado Sol, pai de Jurupari. Era o trovão, mais o raio, o ronco que vem das nuvens prometendo tempestades e que, na língua das tribos, tem o nome de Tupã.

Se muitos acreditaram e ainda acreditam nessa intriga do homem branco, abandonando os costumes, os muitos ensinamentos do bravo Jurupari, passando a viver com medo, perdendo o brio de antes, com isso se dispersando e, assim, se destruindo, sempre houve e há de existir, entre os povos da floresta, quem se lembra e não se esquece das vigorosas lições, das cerimônias e festas desse valente guerreiro que é o filho do Sol com a bela e jovem Ceuci.

A HISTÓRIA DO JAPIM

Naquele tempo, vivia o japim no Céu, em companhia dos deuses, junto do Sol, da Lua e no meio das Estrelas.

Nunca descia à Terra.

Era uma ave sagrada, que tinha canto encantado, pleno de felicidade.

Com seu canto, ele saudava o nascimento do Sol. Também acordava a Lua, quando o Sol ia dormir. E despertava as Estrelas.

Naquele tempo, era assim. E viver não era ruim.

Acontece que, na Terra, pôs-se a vida a piorar.

Surgiram muitas doenças, além de peste terrível!

Uma miséria danada!

Um tempo de chuva brava, que parecia dilúvio!

Um frio de arrepiar!

Sem grande disposição, os homens não trabalhavam! E, assim, chegou a fome nas clareiras da floresta, onde viviam as tribos!

Os pajés se reuniram e imploraram aos deuses que levassem para o Céu todos os filhos da Terra. Homens, mulheres, crianças e até mesmo os mais velhos. Que entregassem a mata de presente para os bichos.

Foram também ao Sol, insistindo com o pedido. Igualmente, procuraram consentimento da Lua no desejo que externavam. A ajuda das Estrelas.

Os deuses parlamentaram.

Sol e Lua conversaram.

E até mesmo as Estrelas se insinuaram na história.

Mas concluíram os deuses que o Céu lhes pertencia. Que a Terra era dos homens. E que não era correto misturar as duas coisas.

Um tanto penalizado com a situação das tribos e não menos amolado com a chuva que prosseguia e o frio que arrepiava, eis que resolveu o Sol, ajudado pela Lua e também pelas Estrelas, interferir junto aos deuses. Que mandassem o japim, esse pássaro bendito, para viver nas matas. Quem sabe sua alegria, seu jeito todo encantado, seu canto melodioso não trariam vida nova para os homens na floresta?!

Os deuses não discordaram.

E a vida melhorou com a chegada do japim, que tomou conta dos ares, se espalhando pela Terra, trazendo felicidade, pondo a peste pra correr, acabando com as doenças.

Disso, cessada a chuva e findado o forte frio, chegou a disposição para todos, no trabalho. O que, sem muita demora, também terminou com a fome.

Os homens, agradecidos, puseram-se a contar prosa, elogiando o japim.

O passarinho, assanhado com tamanhos elogios, empanturrou-se de orgulho. Pôs-se a empinar o bico, como se fosse o dono, o senhor de toda a mata.

Ainda que pequenino, se imaginava um deus. Mais vigoroso que o Sol. Mais bonito que a Lua.

Ria sempre das Estrelas:

– Essas luzes pequeninas, que brilham em plena noite?! Uma ou outra é vaga-lume! O resto é tudo piolho espalhado pelo céu! – comentava em alta voz para quem quisesse ouvir.

Daí passou a zombar dos passarinhos da Terra. Dos bichos. E até dos homens.

Debochado, começou a imitar todos eles, sempre botando defeito no canto de cada um, nos barulhos que faziam e nos modos de falar dos habitantes das tribos.

Imitava o gavião. Imitava o quero-quero. Imitava o bem-te-vi. O beija-flor tesourão e a coruja-do-mato. O cancã, o jaçanã, o jacu e o jacupemba. O papagaio, a arara. O socó, o sabiá e mesmo o galo-da-serra. Até ousou imitar o canto do uirapuru, que silencia a floresta, quando se põe a cantar, tamanha a sua beleza!

Também imitou os bichos que viviam pelo chão e arremedou os homens.

Claro está que, com o tempo, isso desagradou.

Bastante contrariadas, muitas aves, reunidas, apresentaram suas queixas aos deuses de todo o Céu. E, assim, foram ao Sol. Contaram, também, à Lua o que estava acontecendo. Conversaram com as Estrelas.

Os deuses, o Sol, a Lua e mais um mundão de Estrelas convocaram o japim.

Sem qualquer meia conversa, foram firmes e severos. Criticaram os seus modos de proceder na floresta. Ralharam muito com ele. Fizeram mil ameaças.

– Aqui, do alto do Céu, eu vou ficar te marcando! Cessa de botar defeito! Para de zombar dos outros! Deixa de lado o deboche! Mais uma reclamação, será a sua desgraça! – decidiu, por fim, o Sol.

O japim voltou pra mata, um tanto mais sossegado. Tratando de sua vida, guardou-se no bom silêncio, até que não se aguentou, voltando à velha arrogância.

E foi num dia sem Sol, com nuvens negras no Céu.

Estava numa aroeira, quando notou a arara fazendo uma agitação numa grande castanheira.

– Eta, que bicho besta é a arara-vermelha! Parece meio maluca! Se fosse araraúna, era até mais aceitável! Mas essa da castanheira não dá para engolir! – pensava, assim, o japim, quase explodindo de rir com os modos da arara.

E não vendo o Sol no Céu, partiu para a zombaria.

Indo direto ao deboche, pôs-se a arremedar o barulho da arara.

Quando se viu imitada, a arara reagiu. Avançou contra o japim, dando bicada e unhada.

Um gavião-real, que se encontrava pousado numa grande seringueira, já com raiva do japim por tantas que ele aprontara numa outra ocasião, entrou disposto na briga, dando razão à arara.

Uma coruja-do-mato também topou o confronto do lado do gavião.

Sem demora, todo um grupo de aves de médio porte e passarinhos

pequenos atacava o japim, que dali fugiu às pressas, se escondendo num capão coberto de cipó d'água, junto a um igarapé.

Acontece que a briga chamou a atenção dos deuses.

Quando viram que o japim não havia se emendado, eles decidiram, no Céu, por dar uma lição definitiva:

– Já que você não tem jeito, vai ficar conforme está, mas vai perder seu gorjeio, esse seu canto encantado que noutros tempos passados trouxe felicidade para os homens na floresta! E só vai poder cantar o que imita dos outros! Assim será odiado e bastante perseguido pelos demais passarinhos, que hão de atacar você, seus ninhos e seus filhotes! – a Lua sentenciou, pois o Sol, muito irritado com os modos do japim, negou-se a falar com ele.

E foi o que aconteceu, desde então, em plena mata, ao desgraçado japim, por sua tola arrogância e vergonhosa presunção.

E de tal modo se deu a dura praga dos deuses, que o japim, para viver, escondeu-se em outros nomes, ora se apresentando apenas como xexéu ora como joão-conguinho.

E para fazer seu ninho, pôr os ovos, ter seus filhotes criados longe da perseguição e do ataque das aves, só lhe restou um canto, o que habitam as vespas, território venenoso, lugar amaldiçoado, onde os outros passarinhos evitam aparecer.

ÀS MARGENS DO RIO MAUÉS

Naquele tempo, junto do Maués, afluente do Madeira, o que mais havia era só mata fechada, além das palmeiras que, nas beiradas, acompanhavam as águas do rio.

Nem mesmo havia tantos bichos, já que muitos ainda precisavam ser criados.

Eis que, então, por vontade do sol e gosto da lua, apareceram três irmãos naqueles cantos.

Dois moços e uma jovem, vindos ninguém sabe de onde.

Ocomaató, o mais velho, cuidava dos animais que existiam na terra, governando, igualmente, as araras do ar.

Já Icoamã, o mais novo, era senhor dos peixes e, também, de outros bichos que viviam n'água.

Onhiamuaçabê, a moça, era a dona do Noçoquém, canto da floresta em que estão as árvores de fruta, as plantações de comer, as ervas de encantamento, de veneno e de magia, mais as plantas para remédio.

Ela conhecia todas e, com elas, alimentava os irmãos. Também curava suas doenças e os sofrimentos de suas almas.

Além de senhora do Noçoquém, Onhiamuaçabê, com seus cabelos longos e seus olhos negros, sua pele perfumada e doce jeito de ser, era o que havia de mais lindo em toda a mata, às margens do rio Maués.

Por isso, os animais, as árvores e até mesmo o rio, mais as montanhas distantes, sempre se mostravam apaixonados por ela.

E não havia quem não quisesse se casar com Onhiamuaçabê.

História que seus irmãos não queriam nem saber, muito menos aceitar.

Temiam que a irmã, ao se casar, lhes escondesse os frutos do Noçoquém, assim como os medicamentos precisos, para quando estivessem com fome, doentes do corpo ou enfermos da alma.

– Mato seu marido, seja ele quem for! Ai de Onhiamuaçabê, se um dia se casar! Ai, ai, ai, dele! Ai, ai, ai, dela! Mato sem pena, dando o que sobrar pra onça comer! – advertia Ocomaató, senhor dos bichos da terra e das araras do ar, com palavras feito ronco.

– E se ela arranjar criança, por causa do casamento, quem mata o filho sou eu! Ai, ai, ai, do pequeno que nascer! Corto a cabeça dele e jogo pro

jacaré comer! – completava Icoamã, o irmão mais novo da moça, o que governava os peixes mais os outros animais que viviam dentro d'água.

Temendo tais ameaças, claro está que Onhiamuaçabê nem pensava em se casar.

Cuidava de suas plantas, colhia suas frutas e preparava seus remédios, não se deixando amar, ainda que muitas vezes percebesse os olhares apaixonados das montanhas distantes e do rio, das árvores mais ousadas e dos bichos que costumavam aparecer por seu caminho, na floresta ou nas águas, apenas para olhá-la. Pois sumiam, com medo dos dois irmãos.

Era o que se dava e o que mais acontecia, embora não fosse esse o justo gosto da lua, nem a vontade do sol que, com certeza, aguardavam o dia de ver casada Onhiamuaçabê, fosse com quem fosse, desde que merecesse o seu precioso amor.

Dia que, enfim, chegou, por conta da cobra-verde, que veio de outras terras, sem saber das ameaças dos irmãos da moça linda, senhora do Noçoquém, junto às águas do Maués.

A criança e a castanheira

A cobra-verde, ao chegar, logo se deparou com Onhiamuaçabê, no correr do beira-rio, colhendo folha de palma pra fazer fibra de rede, seja rede de pescar, seja rede de dormir.

Viu e de vez concluiu:

– Que gente humana mais linda! Tem o rosto igual a lua e tem o calor do sol! Um brilho forte nos olhos, feito gema preciosa! Se ela gostar de mim, caso até sem permissão de quem governa essa moça!

E pôs-se a rondar por perto, observando os costumes, os jeitos e os caminhos de Onhiamuaçabê.

Cada dia que passava, a cobra-verde ficava muito mais apaixonada. Onde fosse, onde podia, mostrava-se para a moça. Fosse no chão da mata, correndo pertinho dela. Ou nadando pelo rio. Ou pendurada nos galhos das plantas do Noçoquém.

Assim, ela procurava conquistar a atenção de Onhiamuaçabê que, claro, se divertia com as brincadeiras da cobra. Mas, temendo seus irmãos, nunca compartilhava das intenções amorosas que o bicho insinuava.

Sem desistir do intento, sabendo fazer magia, resolveu a cobra-verde preparar água de cheiro com perfume de pau-rosa. Em noite de lua cheia, perfumou todas as trilhas que percorria a amada.

Na manhã do outro dia, quando a moça caminhava no rumo do Noçoquém, sentindo o ar perfumado, sorriu para a cobra-verde com sorriso diferente, aceitando a intenção.

Foi o que só bastou.

– Ai, meu sol! Chegou a hora! O sinal de seu amor! Não posso perder a vez que me concede a mocinha! – entendeu a cobra-verde.

Com paixão no corpo inteiro, rastejando devagar, assim alcançou os pés de Onhiamuaçabê, que recebeu seu amor.

Passaram a se encontrar nos cantos mais bem guardados do interior da floresta e das beiradas do rio, ou mesmo do Noçoquém, se amando às escondidas da vigilância implacável dos dois perversos irmãos.

E Onhiamuaçabê tornou-se ainda mais bela, com a alegria da vida.

O caso é que não custou para esperar criança.

Descobrindo o sucedido, os irmãos não perdoaram a transgressão cometida.

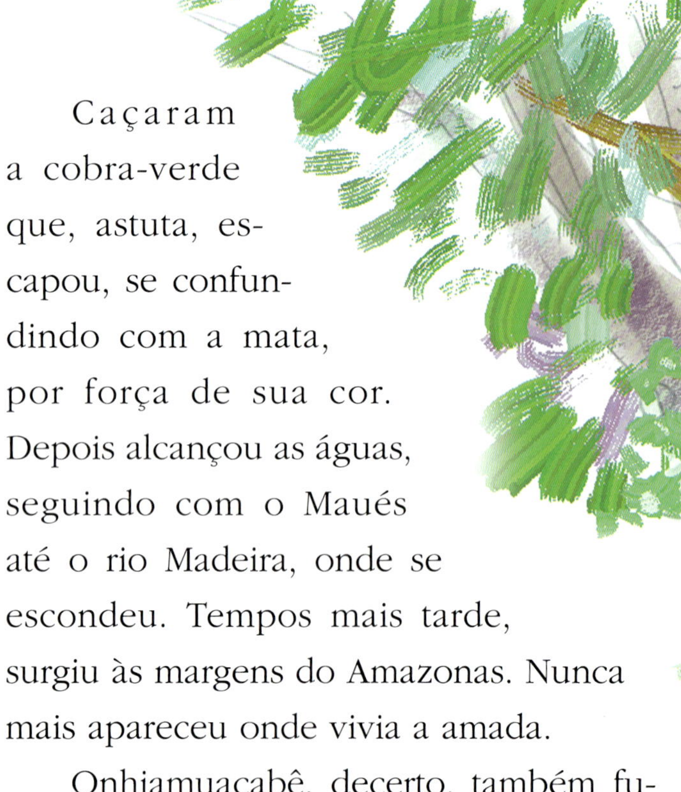

Caçaram a cobra-verde que, astuta, escapou, se confundindo com a mata, por força de sua cor. Depois alcançou as águas, seguindo com o Maués até o rio Madeira, onde se escondeu. Tempos mais tarde, surgiu às margens do Amazonas. Nunca mais apareceu onde vivia a amada.

Onhiamuaçabê, decerto, também fugiu, levando suas saudades.

Com a ajuda da lua, alcançou gruta de pedra, pouco além do Noçoquém, onde ela se guardou, sem se deixar encontrar.

Porém, antes de fugir, com magia que sabia, plantou uma castanheira no centro de seus domínios, o Noçoquém invadido por Ocomaató e, também, Icoamã. A primeira castanheira, dentre tantas outras plantas.

E, se a criança crescia no ventre de sua mãe, nas terras do Noçoquém crescia essa castanheira. E de tal modo cresceram que, ao nascer a criança, a árvore floresceu.

Era um menino encorpado, com o corpo da cor do pai.

Assim, tinha a cor da mata. E a beleza da mãe.

Na gruta, onde se escondia, Onhiamuaçabê bem cuidou daquele filho, com a ajuda de um sabiá, que o sol lhe concedeu como amigo e guardião. O primeiro sabiá dos ares de toda a Terra.

Desde então, viveram tempos.

O menino, já crescido, sendo mesmo muito esperto, não custou a alcançar o Noçoquém de sua mãe, onde adentrava escondido da vigilância dos tios.

Colhia frutos e ervas, alimentos e remédios, que trazia para a gruta, sempre indo e sempre vindo junto de seu sabiá.

O pássaro lhe avisava se havia algum perigo, uma ameaça por perto. Mas, corajoso, o moleque avançava sem temor, indo sempre mais à frente.

Um dia, enfim, alcançou a castanheira gigante, no centro do Noçoquém.

Claro que comeu castanhas, até fartar a vontade. E não quis sair dali, pois parecia que a árvore era sua conhecida, uma espécie de irmã.

Só após muita insistência do sabiá, preocupado, é que retornou à gruta onde vivia com a mãe.

– É mesmo como uma irmã! – disse Onhiamuaçabê, ao se inteirar com o filho do que havia acontecido. – Eu plantei a castanheira, quando deixei nossas terras! E ela cresceu contigo, como duas almas gêmeas. Se você a alcançou, é porque chegou a hora de a história se resolver.

Mistério que sua mãe não soube lhe adiantar.

O guaraná do Maués

Intrigado com o fato, a toda hora o garoto ia até a castanheira. E tanto rondou por lá, que acabou deixando pistas, marcas de sua presença, que foram logo notadas.

Uma onça percebeu.

Um jacaré constatou.

Uma arara barulhenta, afinal, deu o alarme.

Os tios, cheios de ódio, dispuseram-se a matá-lo, caso o garoto pisasse de novo no Noçoquém.

– Ai dele, se vem aqui! Ai desse filho da mãe que agora vem me tentar! Logo vou dar jeito nele! No filho da cobra-verde! Ai, se vou! Claro que vou! – falou Ocomaató, senhor dos bichos da terra e da arara do ar.

E disso ordenou à onça que preparasse armadilha para prender o menino. E que chamasse a arara para lhe dar ajuda.

– Prende e mata, sem perdão! Senão, eu mato você! Ai! Ai! Ai! E não demora! – completou Icoamã, senhor dos bichos do rio, dizendo pro jacaré participar da missão.

Ignorando a tramoia, o garoto apareceu, indo até a castanheira.

Sem desconfiar de nada, nem sequer achou estranho quando uma arara-vermelha atacou seu sabiá que se afastando dali, demorava retornar.

Pôs-se a quebrar castanhas, para comer o fruto.

Quebrou uma.

Quebrou duas.

E já quebrava a terceira, quando se viu prisioneiro em rede de fibras fortes, lançada por uma onça que apareceu de repente.

De resto, não viu mais nada.

Com a cabeça decepada por arma do jacaré, assim morreu o garoto, o filho da cobra-verde com Onhiamuaçabê.

O sabiá, ao voltar, ainda bem percebeu que fugiam do lugar uma onça, um jacaré, mais a arara-vermelha.

Não chegou a persegui-los, pois logo se deparou com a cena da tragédia, no meio do Noçoquém, debaixo da castanheira.

Sentindo-se desgraçado por ter deixado o menino nas mãos daqueles carrascos, num instante, o passarinho, sendo animal fiel, trouxe Onhiamuaçabê para ver o sucedido.

Eis que, então, o sol parou.

E a lua se guardou, sem coragem de encarar o que havia acontecido.

Diante do filho morto, a mãe sentiu tanta dor, foi tão grande seu horror, sua raiva do destino, seu grito desesperado, que pôs pra correr da Terra os dois perversos irmãos.

E até hoje eles correm, sem sequer olhar pra trás, por temor alucinado de Onhiamuaçabê.

Debaixo da castanheira, no meio do Noçoquém, que sempre lhe pertencera, Onhiamuaçabê amaldiçoou a onça, condenando o animal a só caminhar à noite, perdida na mata escura.

Enlouqueceu a arara, que nada pôde fazer, senão gritar na floresta.

E, com a praga que rogou, o jacaré ficou bobo, ficou feio, ficou tonto, sem saber se defender das armas dos caçadores.

Depois de punir os maus, Onhiamuaçabê perdoou o sabiá.

Juntou as partes do filho, lavando seu corpo inteiro com óleo de tucumã, que é palmeira sagrada pelas lendas de seus frutos e mais toda a serventia no uso de suas folhas.

Cavou uma sepultura junto da castanheira.

Na hora de sepultar, caíram em suas mãos os dois olhos do menino, transformados em sementes. Interferência do sol que, com poder e magia, fornecia para os homens outra planta preciosa.

Cobriu o filho na terra, com pedra de sua gruta.

Orando, implorou ao céu que, sem demora, trouxesse o menino para a vida.

E pediu ao sabiá que cuidasse de olhar a sepultura fechada.

Dali, seguiu para o rio.

Junto às águas do Maués, plantou os olhos do filho.

Na hora, profetizou:

– As sementes de meu filho, que agora planto aqui, trarão vigor para os homens. Hão de curar doenças e fornecer energia. Serão frutos preciosos, iguais jamais nunca vistos.

E foi o que aconteceu, pois no oitavo dia daquilo que se plantou floresceu o guaraná, planta que não existia e riqueza abençoada dessas margens do Maués.

Sem ter mais o que fazer, Onhiamuaçabê embrenhou-se pelo mundo.

Nunca mais foi encontrada.

Por sete noites seguidas, da cova de seu garoto, saíram os animais que faltavam na floresta.

Na noite que se seguiu, levantou-se dessa cova um jovem da cor do chão, o filho ressuscitado de Onhiamuaçabê, agora feito guerreiro e senhor de toda a terra em torno daquelas águas, tornando-se o pai da tribo dessa nação de valentes que tem o nome do rio, o bravo povo Maués.

Viu e conta o sabiá aos que entendem sua língua de canto melodioso.

NORDESTE

O CASO DO TOURO QUE ROUBOU A MOÇA

Na verdade, não vi nada, pois viajava a trabalho, indo a Belém do Pará e também a Macapá. Renovava o estoque das joias que eu vendia na loja em Turiaçu, onde tudo aconteceu.

Quando voltei à cidade, após um mês de viagem, seu Luduvino Bicalho cercou-me com a notícia, já na rodoviária:

– Ribamar! E, Ribamar! Se prepare pra saber! É um troço muito ruim! Deu o maior bode! A minha filha Socorro, de quem você era noivo, na última sexta-feira, como que por encanto, sumiu da noite pro dia! – contou, meio apavorado, falando alto demais, chamando a atenção do mundo que então desembarcava do ônibus que me trouxe.

Na hora, assim, de repente, não soube nem reagir. Imagine que esperava ver a moça por ali, me aguardando na chegada, pois eu havia avisado que estaria de retorno, voltando a Turiaçu justinho naquele dia.

Entretanto, o que vi foi apenas o seu pai, com aquela história maluca do sumiço de Socorro.

16:45

No caminho para casa, sem sossegar a conversa, o velhote detalhou:

– Fique sabendo, meu filho, que Socorro foi embora, levada de nossas vidas pelo tal touro encantado de el-rei Dom Sebastião, que aparece nas praias, à zero hora de sexta, quando é noite muito escura! Foi o que se concluiu. Ondina, que é mãe zelosa, está de cama até hoje! Eu não sei o que fazer! E não se zanga comigo! Por Deus, não se zanga, não! Se ela era sua noiva, era, também, minha filha! – disse, já aprontando um olhar desesperado.

Só então eu fui saber que era mesmo verdade a lenda em que se conta que no exato momento, quando o sino mais antigo da igreja de Alcântara bate doze badaladas, à meia-noite em ponto, nas sextas-feiras sem lua, sai do mar nalguma praia da foz do Turiaçu, em galope assustador feito tiro de canhão, um imenso touro negro, trazendo uma estrela branca bem no meio de sua testa.

Que esse touro procede de uma cidade escondida nas funduras do oceano. Que nessa cidade mora, com os nobres de sua Corte, um certo Dom Sebastião, soberano português que, por obra de magia de uns mouros africanos, com quem enfrentou batalha há quase quinhentos anos, vive à espera de um valente, de um cabra muito arretado que desencante o feitiço antes feito contra ele.

Que quebrado o sortilégio, o monarca há de voltar à superfície da terra, derrotando os infiéis, redimindo os pecadores, trazendo ouro e fartura, felicidade geral para os povos desse mundo de miséria e sofrimento. Quer dizer... Com a ressalva do povo de São Luís, já que a ilha onde fica a capital do Estado afunda no mesmo instante em que emerge do mar a tal cidade dourada, com o castelo do rei.

Foi o que me falou seu Luduvino Bicalho.

Mas, e Socorro com isso?! – inquiri, desconhecendo adonde ia chegar aquela peroração.

– Pois é! Foi por causa disso que o sumiço se deu! – se adiantou o meu sogro, complicando ainda mais o assunto da conversa.

Em seguida, me explicou que, para desencantar o feitiço que amarrava o monarca lusitano lá nas funduras do mar, dependia tão somente que alguém matasse o touro, quando estivesse na praia. Que pra isso era preciso enfiar alguma espada, uma faca, uma lança, uma peixeira pontuda no meio da estrela branca que o bicho bravo trazia em cima de sua testa. Troço que nunca se fez, mais por medo e covardia dos homens do Maranhão, do que por disposição.

– E o senhor quer me dizer que Socorro ficou doida e decidiu pôr um fim na vida do animal?! – perguntei, já ansioso, querendo apressar o velho.

– Não! Claro que não! Que ideia! – retrucou seu Luduvino.

Daí, prosseguiu com a lenda.

Falou que, enquanto vivo, o touro, rondando a praia no correr da madrugada, se apoderava de tudo que encontrava pela frente, levando o que saqueava para a cidade do mar, como prenda que ofertava a el-rei Dom Sebastião.

– Principalmente se é moça! – chegou no acontecido com minha noiva Socorro.

Contou que, na sexta-feira, sua filha, entristecida, provavelmente sentida com a minha longa ausência, saiu à noite de casa para relaxar um pouco.

– Foi, com duas amigas, dar voltas à beira-mar. Na hora, até reclamei, falei que já era tarde, mas deixei, com pena dela! Antes tivesse impedido! – ressaltou, mais vigoroso. – Meio esquecidas da vida, não viram passar o tempo!

Foi o que só bastou!

O touro apareceu, levou minha noiva com ele e, no pega pra cercar, mais espertas, as amigas conseguiram cair fora!

– Elas que nos contaram todo o sucedido! – esmiuçou o velhote. – Ondina, a sua sogra, até perdeu os sentidos, quando soube da tragédia! Ela ainda está de cama! – repetiu, bem no instante em que o táxi parou defronte a meu endereço.

Quando paguei a corrida, não entendi o sorriso do motorista safado. Porém, fiquei intrigado.

Um encontro em família

Descansado da viagem, na tarde do outro dia, fui visitar dona Ondina. A velha estava passada, realmente abatida.

Já o irmão de Socorro parecia conformado. Nem me deu muita atenção. Logo partiu pra rua.

Na casa, me esperava uma das duas amigas que tinham visto o sequestro.

A outra não pôde vir.

A moça, que eu conhecia e com quem nunca me dei, por ser um tanto assanhada, companhia duvidosa para a honra de minha noiva, contudo, foi bem sensata na explicação do fato.

E bastante convincente.

Cuidadosa nos detalhes, me contou o sucedido.

Fez questão de esclarecer que o touro hipnotizava. Que assim dominou Socorro. Que ela e a outra amiga só haviam escapado porque o bicho preferiu pegar logo minha noiva.

– Não foi mais que sorte nossa, Socorro ser mais bonita... O que nem sempre é vantagem... – comentou, sorrindo curto, um tanto desconsolada.

Ressaltou o desespero, a gritaria que fez a infeliz raptada, arrastada pelo touro em meio às ondas do mar.

Na hora, embargou a voz, ameaçando chorar.

– Parecia uma sabina, levada pelos romanos... Quem diria?! A Maria do Socorro... Sempre tão reservada... – disse a jovem, segurando a emoção, porém, me dando impressão que tinha seu pensamento muito distante dali. – É... Mas havia uma força que empurrava a coitada... Uma força muito esperta... Ela acabou cedendo... – pôs-se a sussurrar, quase num devaneio.

Dona Ondina não aguentou. Caiu em crise de choro.

Seu Luduvino Bicalho socorreu, afetuoso.

Procurando consolar, assegurou à esposa que, na cidade encantada, toda moça sequestrada acabava transformada numa princesa do reino de el-rei Dom Sebastião.

Depois, ralhou com carinho.

Pediu que ela se conformasse, diante do acontecido. Que aceitasse a tragédia como fato consumado, triste obra do destino, fatalidade terrível, com certeza, sem conserto.

Aquilo me comoveu, pois gostava da velhota, que era boa feito um doce, me tratava como um filho, tinha sempre alguma fruta, um sorvete de juçara, um refresco de caju, um licor pra oferecer, nas visitas que eu fazia.

Emocionado, exaltei-me.

Jurei que ia enfrentar o touro do português! Acabar com a raça dele! Arranjar lança afiada que furasse sua estrela! Resolver de uma só vez o destino da cidade que precisava emergir das profundezas do mar pra virar reino feliz! Libertar Dom Sebastião! E salvar minha Socorro!

– Ainda que, para tanto, tenha que pôr a pique a ilha de São Luís, como reza a profecia! – realcei minha missão. – Escrevam o que eu digo! Na próxima sexta-feira, sem ser essa de amanhã, estarei de prontidão, com minha lança na mão, à espera do bitelo, lá na beirada da praia!

Decidido, parecia que era até candidato pedindo voto em comício.

Dona Ondina melhorou, sorriu, gostou da bravata. Falou que acendia vela, vela de sete dias, para me dar boa sorte no combate contra o touro.

A moça não sequestrada me deu mirada esquisita, bastante contraditória. Por um lado, pareceu que ia rachar o bico, caindo na gargalhada. Por outro, me reparou com cara de quem tem fome, olhou pra meu corpo inteiro e me deixou constrangido, mais uma vez confirmando que não era boa bisca.

Seu Luduvino Bicalho foi mais longe no assunto.

Começou com "deixa-disso", pedindo que me acalmasse.

Depois, entrou com conversa, aconselhando umas férias. Me sugeriu Salvador. Falou até em São Paulo.

Daí, chegou a dizer que se me fosse difícil viver em Turiaçu, por causa do sucedido, ele compreenderia, me dando até uma ajuda para fazer a mudança.

– Ribamar! Pode estar certo! Tem praça muito melhor pra seu negócio de joias. Diz que Santa Catarina é uma maravilha! Porto Alegre, ainda mais! Os turistas argentinos estão cheios de dinheiro! Compram tudo que aparece! – frisou, com a sugestão. – Se quiser, eu vou contigo, pra sondar o ambiente. Gostando, já fica lá. Eu volto a Turiaçu e despacho suas coisas.

A ideia me amolou. Parecia empurra-empurra de quem não me queria ali. Mas podia ser que não, sendo só boa intenção.

Na verdade, me apavoro quando penso em mudança. Muito mais se é por causa de algum caso enrolado com garota ou namorada.

Já fiquei traumatizado, que nem gato em água quente. Até parece castigo. Se estou bem num lugar, tenho de me mudar porque alguma mocinha, amada de ocasião, me aprontou qualquer transtorno, problema ou maracutaia, me deu alguma rasteira ou me trocou por um outro.

Desde Imperatriz, assim foi em Montes Altos, João Lisboa e Pedreiras, Bacabal, Coroata, Santa Inez, Santa Luzia, Vitória do Meatim, Presidente Juscelino, São Luís e Bequimão, de onde me transferi para Turiaçu. Mesmo no Piauí, morando em Piripiri, isso me aconteceu. No que eu rodei um mundo.

De resto, não tinha sentido mudar de Turiaçu, onde vivia tão bem! Muito menos por tramoias de um touro submarino, que pertencia ao rebanho de um soberano enrolado por feiticeiro africano, um monarca português que sumiu e ninguém viu!

Era só o que faltava!

Mas, quando nos despedimos, encostado no portão, seu Luduvino teimou, lembrando de Mato Grosso.

– Mato Grosso do Sul! Campo Grande, meu rapaz! Cidade que é só progresso! Cheia de gente rica! Vai que se acerta lá! – insistiu, fazendo pose de sujeito generoso, com palmadinhas de leve, batendo nas minhas costas.

Fui pra casa meditando.

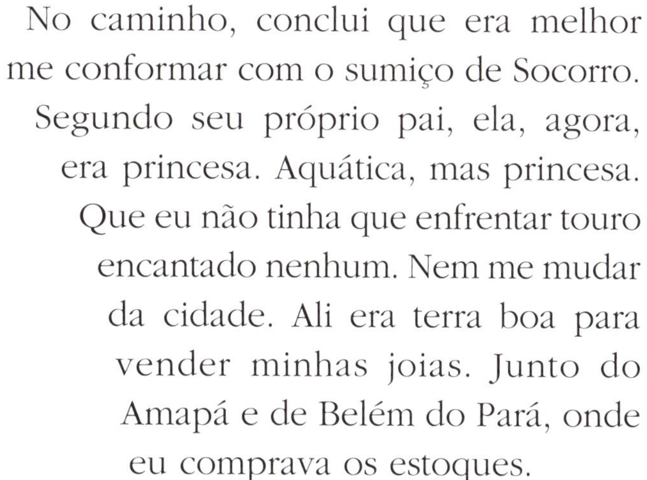

No caminho, conclui que era melhor me conformar com o sumiço de Socorro. Segundo seu próprio pai, ela, agora, era princesa. Aquática, mas princesa. Que eu não tinha que enfrentar touro encantado nenhum. Nem me mudar da cidade. Ali era terra boa para vender minhas joias. Junto do Amapá e de Belém do Pará, onde eu comprava os estoques.

Além disso, com certeza, acabaria arranjando uma outra namorada, uma noiva mais segura, que tivesse mais juízo e não se metesse em praia, nas altas horas da noite.

Numa sinuca de bico

Fiquei dois dias em casa, pondo ordem na cabeça, acertando minhas coisas e arrumando a vitrine da lojinha de joias, que mantive em meia porta, dando sossego e distância ao bate-boca da história de Socorro com seu touro.

Na verdade, estranhei. Nem mesmo por uma vez me apareceu um freguês.

No domingo à tardinha, me arrumei pra sair. Dar uma incerta e chegar no botequim do Campello, onde sempre fui benquisto e até admirado nas partidas de sinuca. Numa competição pela Semana da Pátria, que eles fizeram lá, cheguei a arrebanhar várias medalhas de prata, sendo vice-campeão.

No trajeto até o bar, notei que uma freguesa me negou o cumprimento. E, pela segunda vez, isso me acontecia.

A primeira que assim fez foi dona Filinha Cotta, professora de piano, bem no dia em que eu fui à casa de dona Ondina. Reparei a negativa, mas não dei muita importância. Achei que era distração.

Já a segunda, não! Virou a cara ostensiva e me deixou ofendido.

Prossegui, mas magoado.

Já, no boteco, a princípio, fui recebido com honras.

Campello me abraçou e me deu o mesmo taco, o que sempre preferi para fazer meu joguinho.

Tomei um rabo de galo e fui direto à partida, com três amigos de mesa e mais outros na assistência.

Claro está que, sem demora, entre uma tacada e outra, começamos a falar do assunto de Socorro.

Contei do touro encantado. Da moça que se salvara e vira todo o sequestro de minha noiva, na praia. Do sofrimento evidente de dona

Ondina Bicalho. Da atenção de meu sogro, me pedindo mil desculpas, se falhara nos cuidados, na vigilância da filha, que ele, também, perdeu.

Frisei que vinha pensando em enfrentar o tal touro, numa sexta-feira dessas, quando ele aparecesse. Que já ia encomendar a Virgulino Ferreiro uma espada e uma lança, feitas de ferro batido, com cortes bem afiados. Que caso algum dos presentes quisesse me ajudar na empreitada difícil, eu aceitava aliados.

Enquanto esmiuçava os labirintos da trama, com a história da lenda, percebi que, na sinuca, todos se encaravam fazendo pouco do caso, uns, segurando o riso, já a ponto de explodir, outros, mais descarados, com risadinhas à mostra, todos ali, uns safados.

Com certeza se armavam para me provocar.

Começou com João Joaquim, um tampinha sem tamanho, de apelido Cutuba, que vivia de vender dose de pinga na praia.

Fazendo ponto no jogo, comemorou com veneno:

– Não há de ser nada, Riba! É tristeza que passa! Não apoquenta a cabeça! Você é um cabra manso... Tá no jeito... A gente sabe...

Recebi o solavanco, colocando anil no taco. Ferido pelas risadas, aqui, ali, acolá, no salão da sinuca.

Nem cheguei a reagir.

Logo, Expedito Rosa, que era engarrafador de óleo de babaçu, na fabriqueta que tinha seu Luduvino Bicalho, se adiantou com a chacota:

– Me conta, aqui, Ribamar... O touro levou Socorro de carro ou de avião?!

Amarrei a minha cara e não disse uma palavra, enquanto até o Campello caía na gargalhada.

Fui direto pra meu jogo, concentrado na tacada.

Fiz um pontinho de nada, com bola que vacilou e só por sorte caiu no seu devido lugar.

A gota d'água pingou, entornando todo o caldo, na hora em que Zeca Lemos, um colocador de antenas para televisão, engrossando a brincadeira, me perguntou muito sério:

– Riba! É verdade que esse touro, que te tomou a Socorro, não tem chifre... Só o outro?!...

Aquilo era demais! Não dava para aguentar!

Com o taco levantado, feito quem segura lança, descontrolei o nervoso:

– Seu moleque sem-vergonha! – reagi de cara feia, forjando disposição. – Te meto o taco na cara, se repetir a pergunta!

Claro que não repetiu. Sentia-se glorioso, com as risadas arrancadas da plateia de cretinos.

No mesmo instante, Campello pediu ordem no recinto.

E voltou-se contra mim:

– Calma, rapaz! Que exagero! Vai perder a esportiva?! A turma só está brincando! – interveio, agressivo, pretendendo um deixa-disso.

– Que brincadeira, Campello?! O caso que aconteceu é história muito séria! Tormenta pra muita gente! É só ver como que sofre a dona Ondina Bicalho! – retruquei, na defensiva, jogando em cima da mesa o meu taco de sinuca, preparado pra sair.

Fui embora em meio a vaias e outras tantas risadas, além de uns gatos pingados me pedindo pra ficar, tentando acalmar a turma.

Ao partir, ouvi Campello comentando com alguém:

– Qual o quê! Enganaram Ribamar! Ele não sabe de nada! Pensa que a história é séria! Que a moça foi raptada!

Saí sem olhar pra trás. Mas, pela primeira vez, desconfiei que a lenda, se era boa e bonita, a contragosto, escondia, com certeza, alguma coisa.

De repente, feito filme, comecei a recordar. Da risadinha safada do motorista de táxi. Da estranha indiferença do irmão de minha noiva. Do jeito meio esquisito da amiga de Socorro, a tal que me garantiu ter visto todo o sequestro. Da loja sem freguesia. Das freguesas me negando um cumprimento na rua. E da farra dos canalhas no boteco do Campello.

Foi como se despertasse.

Eu, Ribamar de Freitas, vulgo Riba, Ribamar, com pai e mãe bem casados, filho de Imperatriz, às margens do Tocantins, irmão de chefe político no interior do Estado, um suplente de deputado e com mais um outro irmão desempregado em São Paulo, moço trabalhador, vendedor de joia fina comprada em contrabandista com firma estabelecida em Belém e Macapá, me percebia enganado.

Foi aí que resolvi botar os pingos nos is.

Desvendar o que é verdade e o que é lenda, na lenda.

E já, na segunda-feira, procurei um folclorista.

A lenda e a história

O moço que procurei chama-se Antônio Neto. Jornalista da "Tribuna", semanário da cidade, professor de Português e Estudos Sociais, no Ginásio Estadual, era meu conterrâneo, nascido em Imperatriz.

Amigo desde criança, com quem sempre conversei, foi ele quem me arrastou para Turiaçu.

Folclorista amador costuma escrever artigos sobre histórias, sobre mitos, casos do Maranhão. Já publicou até livro, tratando de controvérsias com lendas da região.

Por isso, fui procurá-lo.

Queria que me dissesse se alguma vez, por acaso, vira o touro encantado de el-rei Dom Sebastião. Se acreditava no bicho e na cidade afundada do monarca português. Se tinha comprovação, documento ou relato, de que o touro já havia levado uma outra moça para as funduras do mar. Além de lhe perguntar se tinha opinião a respeito do sumiço de minha noiva Socorro.

Conforme já esperava, o amigo me recebeu com a maior alegria.

De início, retomou a lenda que me contou seu Luduvino Bicalho, fornecendo conteúdo muito mais elaborado.

Destacou que o soberano realmente existiu e que era um rei bem jovem, quando desapareceu, numa batalha travada contra os mouros de Marrocos, em Alcácer Quibir, no dia quatro de agosto do ano 78, no século XVI.

– Por causa desse sumiço de el-rei Dom Sebastião, a Espanha se apossou do reino de Portugal, que se encontrava sem rei – adiantou o enredo, mostrando que conhecia a história nua e crua. – Sentindo-se humilhados, sem nenhuma independência, penso que os portugueses passaram a desejar a volta do antigo rei, do jovem que evaporara em pleno campo de guerra. Viraram sebastianistas, fundando

o sebastianismo – e prosseguiu nos detalhes da barafunda que houve. – Diziam que o rapaz se encontrava são e vivo, embora estivesse preso em um calabouço mouro. Que um dia ia voltar. Que havia de aparecer e libertar o país da opressão espanhola, retomando a autonomia da coroa de Lisboa. Só que nunca apareceu. Do desejo insatisfeito, deve ter brotado a lenda, que se estica até hoje – completou em alto estilo.

Com jeito, me sugeriu que, diante desse quadro, era um tanto duvidosa a existência do touro e da cidade encantada. Que talvez fosse só lenda, dessas que inventam coisas para embelezar a vida, acalmar os corações, explicar algum preceito, um pressuposto, um desejo ou uma situação, sem dúvida, complicada. Que, não sendo de verdade, contudo, tinha valia.

– Muita valia! Garanto... – fez questão de acentuar.

Sendo homem instruído, esclareceu que essa ideia do desejo do retorno de um mito salvador é um sonho muito antigo no imaginário do homem.

– Por isso, o sebastianismo se alastrou feito fogo correndo por palha seca, na Europa e no Brasil. E não só no Maranhão, com o touro encantado da cidade submersa, ainda que a nossa lenda seja a mais bela de todas – assegurou, orgulhoso. – Teve sebastianismo antes da Independência e, também, pouco depois, nas terras de Pernambuco, com romeiros que falavam de uma Santa de Pedra, em região que se chama Serra do Rodeador, e com crentes reunidos perto de Vila Bela, cultuando dois rochedos que virariam castelo, na ocasião do retorno de el-rei Dom Sebastião, que redimiria os pobres, derrotando os infiéis e acabando com a miséria – detalhou e prosseguiu. – Nas duas vezes, deu bode! O governo da província, temendo rebelião dos humildes reunidos em torno da utopia, sem nenhuma piedade, massacrou os movimentos dos que tinham fé nas lendas.

Na aula que me explanou, Antônio Neto, em seguida, viajou de Pernambuco para o norte da Bahia.

Num resumo, esclareceu que os baianos, igualmente, andaram falando muito no monarca português. Para eles, no retorno, o rei faria correr um rio todo de leite e mais um rio de azeite, acabando com a fome, quando, então, todo o sertão havia de virar um mar e, o mar, virar sertão, no sentido da beleza, sobretudo, da fartura, trocando um pelo outro, feito no Maranhão se sonhava em trocar a ilha de São Luís, a capital do Estado, pela cidade encantada das funduras do oceano.

Mas... E Socorro com isso?!

Nem cheguei a perguntar. O amigo disparava com a sua explicação.

Para ele, entre os baianos, o maior sebastianista foi Antônio Conselheiro, que, no Arraial de Canudos, juntou milhares de homens, multidão de desvalidos, sofridos, esfomeados, todos acreditando na redenção que seria a volta do soberano perdido desde a batalha contra os mouros infiéis.

Deixou claro que essa gente, vivendo lá em Canudos, no mando do Conselheiro, teve ali alguma paz e, inclusive, comida. O que não teve demora porque um dia o governo, no começo da República de Prudente de Morais, resolveu pôr fim na festa, que, aliás, nunca foi festa. Veio com a guerra pronta contra o povo do Arraial.

Segundo me revelou o amigo folclorista, não foi fácil essa guerra, pois Canudos resistiu, muitas vezes só com foice, às vezes só com facão ou mesmo só com porrete. Mas, deveras, resistiu.

O Exército, porém, com armas de todo tipo, metralhadora e canhão, um mar de tropa pesada, com soldados federais vindos de Salvador, de Pernambuco e do Rio, após várias investidas, destruiu o Arraial, matando a população. Um a um, matando todos. Rematando até os mortos.

O que sobrou foi um pingo.

– Foi uma crueldade! A maior carnificina! A pior barbaridade que aconteceu no Brasil contra os sebastianistas! – comentou Antônio Neto, revoltado, com razão.

Só podia concordar, depois do que me inteirei.

Mas... E Socorro com isso?!

Era o que me martelava, enquanto escutava a trama das lutas dos que sonharam com a volta do português e da cidade encantada.

De repente, despertei das tragédias que ouvira, notando que Antônio Neto passava a me dar conselhos.

Sugeriu que me guardasse. Que sossegasse meu facho. Que parasse de falar no sumiço de Socorro. Propôs que eu viajasse. Voltasse pra Imperatriz.

Foi quando não concordei:

– Mas, se a história é complicada, sendo essa desgraceira, se a lenda é duvidosa e se não existe o touro, como foi que minha noiva, então, desapareceu?! – me abri com o amigo, sem querer meia conversa.

– Quer dizer... O touro existe... – ele me interrompeu, aumentando a confusão. – Existe... e não existe... Como acontece com as lendas...

Francamente, era demais!

Reagi e insisti, vendo que Antônio Neto sabia de alguma coisa que escondia de mim.

Pressionei e apelei por nossa velha amizade.

Falei que, se estava ali, trabalhando na cidade, tinha vindo a seu convite!

Contei o que acontecera com as freguesas, na rua! E toda a provocação, no botequim do Campello!

Afinal, de que valia ser filho de Imperatriz?! Será que havia esquecido que era meu conterrâneo?! Que meu pai mais o pai dele se acertavam tão bem?! Os dois do mesmo partido! Tudo eleitor do Sarney!

Lembrei-me do anel de ouro, anel de quase cem gramas, com um São Jorge Guerreiro impresso em alto-relevo, maior que uma azeitona! Presente que dei a ele, na passagem do Natal!

Da vez que fui fiador da casa que ele alugou!

Não podia me faltar!

Nem me deixar feito bobo, ali, em Turiaçu!

Foi um custo, mas cedeu!

O touro e o bode

Contou, tim-tim por tim-tim, a verdade que se deu, em tudo o que aconteceu.

Socorro havia fugido com um outro namorado, a quem tinha se entregado. Um dito Haroldo Bello, filho de São Luís, que mudara pra cidade com intuito de abrir um bar todo moderninho, com um salão de forró para animar a moçada, coisa que nunca fez, nos meses em que morou num casarão alugado, nas cercanias da praia.

– Aquele... Do cavanhaque?! – perguntei, certificando.

– Esse mesmo... O Bodinho... Conforme é apelidado... – confirmou-me Antônio Neto.

– O que tem um cadilac?! – voltei, não acreditando.

– Exato... O do cadilac! O dono daquele Mercury, que antes era vermelho e foi pintado de branco, ficando feito ambulância... – completou, com a novidade.

– O da lente de contato!? – insisti, meio pasmado.

– Claro... O das lentes coloridas... As duas... Verde-abacate... O tipo falava a cor, quando apresentado aos outros... Lembra?! – ironizou meu amigo.

– Mas... esse Haroldo Bello?!

Custava a acreditar.

– Sim! O próprio! Não tem outro! Foi quem te roubou a moça! Levou Socorro com ele! – bateu de vez o martelo.

Enfim, perdi o controle:

– Ah!!! Mas não pode ser! Esse cara não é touro! Esse cara é um bode! Um bodinho vagabundo, feito você falou! – reagi, indignado.

– Pois o touro é esse bode! – retrucou-me Antônio Neto, logo se adiantando. – Com a lenda é sempre assim! Por isso que tem beleza! Tem grandeza! Poesia! Se às vezes fala de um touro, feito animal encantado, na dura realidade, o assunto é um bode! Aliás, precisamente, no caso, um bode Bello... – concluiu o folclorista, tentando brincar comigo, querendo me animar.

Detestei o trocadilho.

Fiquei pensando no bicho. No bandido do sujeito que fugira com Socorro!

Um roscofe! Um ardido!

Um calafraia feioso!

O que será que ele tinha, além do tal cadilac, para me roubar a noiva!? Matutava, revoltado.

– Parece que o pai do bode é desembargador... ministro de Tribunal... Um figurão da Justiça... Em Brasília, por sinal... – adiantou-me o amigo, com justa coincidência, lendo meu pensamento. – Seu Luduvino, seu sogro, acho que anda encrencado com impostos, certas multas e processos trabalhistas na fabriqueta de óleo... Daí, tramou o negócio...

Pronto, fechou o cerco.

– Primeiro... Não é meu sogro! Segundo! Que safadeza!!! – respondi, quase gritando. – Terceiro!!! É um pilantra, que me meteu numa farsa, com essa história de touro e de cidade encantada!!! – disse eu, enfim, aos berros.

– Calma, Riba... Devagar... Claro que não é seu sogro... Até pode ser safado ao negociar a filha... Mas essa história de farsa... Isso eu não sei, meu caro... Ele falou do que houve, usando o jeito da lenda... E você?! O que escutou?! O que entendeu da conversa?! – encerrou Antônio Neto.

Sem demora, fui pra casa.

Enfim, Socorro

Passei tarde... Passei noite... E manhã do outro dia... Pensando no que fazer.

Primeiro, achei que devia me armar com trinta e oito. Procurar Haroldo Bello. Acertar contas com ele. Contas com ela, também.

Lembrei, porém, de mamãe, quando papai se enrolava, chegando nervoso em casa. Do ditado que dizia tentando acalmar o velho: "Não há mal que sempre dure; nem bem que dure pra sempre. Mas há mal que vem pra bem".

Desisti de complicar ainda mais a história.

Daí, concluí que o certo era pedir palavra e tirar satisfação, apertando, em bate-boca, seu Luduvino Bicalho e dona Ondina, também.

Porém, por causa da velha, preferi me sossegar. Lembrei que estava sofrida, certamente envergonhada por tudo o que aconteceu, a traficância do velho e a fuga de sua filha com o bode aventureiro.

Pensei em ir ao Campello. Falar pra turma do bar que eu sabia de tudo. Que só ficava com a lenda por dó da mãe de Socorro, por respeito a dona Ondina, sempre tão boa comigo.

Mas deixei isso de lado.

Nesse mato sem cachorro e sem caça pra caçar, na falta do que fazer, voltei para Imperatriz, indo viver com meus pais.

Até aí, tudo bem.

Não fosse o que aconteceu uns quatro meses depois, num posto de gasolina, onde eu gerenciava loja de conveniência, quando, através de um

vidro que rodeava essa loja, vi, no pátio, estacionado, pondo óleo e combustível, o Mercury branco-leite do maldito Haroldo Bello.

No volante, o bode besta.

A seu lado, serelepe e toda prosa, com batom, tinta e sorriso naquela cara safada, a bandida da Socorro.

E, na poltrona de trás, dona Ondina Bicalho, feito uma baronesa, cheia de dignidade.

Fora, pagando a conta, estava seu Luduvino.

Iam para Brasília! Soube pelo rapaz que vendeu a gasolina!

Ah! Não pude suportar! Aquilo me enraiveceu!

No dia seguinte mesmo, mudei para o Ceará.

A princípio, até pensei em ir para Fortaleza. Mas preferi uma praia com menos agitação.

Escolhi Jericoacoara!

Retrato do paraíso! Lugar mais lindo do mundo! De onde espero não sair!

ESTREL
MARE

QUINCA SECO E A MÃE-D'ÁGUA

É Quinca, por ser Joaquim. E Seco, porque era seco, muito magro e esticado, quase só em pele e osso.

O caso é que Quinca Seco veio de Madre de Deus, continente do Recôncavo, para a Ilha da Maré, no ano em que pegou fogo, perto de inaugurar o Teatro Castro Alves, na capital, Salvador.

Chegou na ilha com primo, filho de sua tia, costureira e rendeira muito estimada na vila. Foi através dessa tia que logo arranjou trabalho como agregado a um grupo de pescadores com barco.

Com o tempo, bem se viu que era de pouca valia na função de pescador, ainda que fosse amigo, bom pra fazer mandado, recadeiro de primeira. Coisa que não bastava.

Despachado do trabalho, com o pouco que lhe restou daquilo que tinha ganho, teimou e comprou anzóis, umas metragens de linha, chumbo, tarrafa velha e um cesto de colheita, passando a pescar por conta, fosse peixe ou camarão, fosse até mesmo siri.

Costumava fazer pesca por perto de uma pedra que fica no mar mais limpo, antes do manguezal.

Foi lá que tudo se deu.

Quinca Seco ia à noite e ficava noite inteira, pescando uma ninharia. Punhado de peixe ruim, que fritava pra vender, mas que acabava comendo, por falta de freguesia. Vendia mais os siris e, também, os camarões, quase sempre pouca coisa.

Assim, empurrava o tempo, muito mais Seco, que Quinca. E esperava melhora que jamais acontecia.

Toda noite ele teimava, junto da pedra do mar, nas redondezas do mangue, com sua tarrafa velha, seus anzóis, chumbos e linha, pescando uns gatos-pingados que guardava em sua cesta.

Numa noite de São João, o pobre moço catava os seus siris pelo mangue, quando ouviu uma canção que chegava lá da pedra.

Canção de voz de mulher, que não era nem alegre, nem era música triste, mas invadia os sentidos feito estrela cadente quando corta o céu, à noite. Vinha com gosto de mar e leve calor de fogo. Mais ranhura de areia. Em tudo, uma tentação.

Quinca Seco pôs-se a ouvir, deixando a pesca de lado. Sem demora, ele correu na direção de onde vinha a estranha melodia.

Quando alcançou a pedra, viu a mulher que cantava, nua, assim, feito Eva ainda no Paraíso. Tinha, porém, os cabelos completamente enfeitados com porção de plantas d'água. E, no mar que a rodeava, muitos peixes coloridos pareciam fazer festa.

Era jovem, bem morena, bonita de arrepiar. E não parou de cantar, dando certeza ao rapaz de que cantava pra ele.

Quinca Seco, ali, parado, sem saber o que dizer, não sabendo se chorava, se ria ou se corria, reconheceu que a moça era decerto a Mãe-d'Água.

Sem coragem pra partir, só com gosto de ficar, ouviu toda a melodia. E, na hora em que a Mãe-d'Água terminou sua canção, sem entender bem por que, talvez para agradecer, Quinca Seco mergulhou nas águas daquele mar. E, ao voltar do mergulho, viu que a Mãe-d'Água, feliz, sorria no alto da pedra.

– Toda noite observo essa sua pescaria. Vejo seu jeito insistente de colher frutos do mar – disse a jovem para o moço. – De tanto ver e gostar de seus modos, nessas águas, resolvi lhe dar ajuda. É só pedir o que quer. Mais tarde, cobro o presente, que você deve pagar, em atenção a seu gosto.

Quinca Seco, feito bobo, parado na madrugada, parecia não saber o que querer da Mãe-d'Água, pois se tornava difícil escolher, naquela hora.

Queria mudar de vida, ter distância da miséria. Ter sossego e ter dinheiro para poder ir às festas que havia em Salvador. Queria casar com moça que cuidasse de sua casa, moça igual àquela ali, que estava sobre a pedra.

Nossa, como queria!

Tanta coisa ele queria, que mal sabia pedir. Além disso, tinha a paga da prenda dessa Mãe-d'Água, que não sabia qual era e podia ser bem cara.

Enfim, não esticou seu sonho. Fez depressa o pedido:

– Quero pescar muito peixe e pegar muito siri. Muito camarão na rede e mais freguês pra comprar...

Foi só isso que falou, sem coragem pra dizer o que ainda desejava dentro de seu coração.

– Se é esse o seu pedido, vá buscar sua tarrafa e veja o que conseguiu. No seu cesto de colheita também irá encontrar o restante da oferenda – a Mãe-d'Água concedeu, tornando a cantar, na pedra, para depois, sem demora, voltar ao fundo do mar.

Os limites da Mãe-d'Água

Quinca Seco, na tarrafa, encontrou bastante peixe, vendo o cesto carregado de siri e camarão. Pela manhã, vendeu tudo, sem ter muito que esperar.

Assim, foi na outra noite, nas noites que se seguiram, por semanas e por meses. E todos se impressionavam com as cargas de peixe vivo que Quinca Seco trazia para o mercado da ilha.

Os fregueses se animavam. Sem regateio ou pechincha, levavam tudo de vez.

Fez ele seu pé-de-meia.

Comprou coisas que queria. Rede nova de pescar, chumbo, anzóis, fio do bom, mais um punhado de cestos. Empregou dois camaradas na função de ajudantes. Arrumou uma casinha. E visitou Salvador, apenas pra passear.

Sossegada a correria dessa novidade toda, de resto, sentiu-se triste, por não ver mais a Mãe-d'Água nem ouvir sua canção.

Às vezes, na madrugada, deixava a pesca de lado. Carregado de saudades, mirava a pedra no mar. Sempre em vão, pois nada via, nem mesmo sombra da moça, nem sequer qualquer miragem.

Isto até ocasião de madrugada bem quente, quando, sozinho, catava os xaréus em sua rede.

De repente, percebeu que a canção da Mãe-d'Água, num crescendo harmonioso, invadia toda a noite, feito boa tentação.

Correu, logo, até a moça, que estava lá na pedra mais bonita do que antes, mais alegre e com mais flores enfeitando seus cabelos. Nua, feito da outra vez.

– Agora, venho buscar o que quero de você, caso saiba me pagar... – falou para Quinca Seco.

Entre a surpresa e o medo, pôs-se o moço a esperar o que a Mãe-d'Água queria.

– Venho aqui para dizer que quero casar contigo... Claro... Se você quiser... – propôs a moça encantada.

– Quero... Claro que quero... – logo atendeu o rapaz, ansioso, meio zonzo, surpreso, muito espantado.

– Calma... Pense, pra responder... Na verdade, sou um ser que venho do fundo d'água, diferente das mulheres que existem nesta ilha. Se posso lhe dar fortuna bem maior do que já dei em seu trabalho na pesca, não posso lhe dar herdeiros. Tenho, também, condições, para esse casamento. Exigências que farei, se for forte o seu desejo.

Quinca Seco, alumbrado, não vacilou um instante. Jurou que adorava a moça e que faria de tudo para atender os seus gostos. Que não pensava em ter filhos. Que, embora fosse pouco para tamanha beleza de uma senhora do mar, seria bom companheiro, estando sempre com ela. E, se ainda era pobre, com o pouco que já tinha, trabalharia bem mais, lhe concedendo conforto e toda a prenda do mundo para tê-la como esposa.

A Mãe-d'Água, num sorriso, mostrou-se muito feliz com a disposição do moço.

– Riqueza, você terá, bem além do que já tem – garantiu para o rapaz. – Apenas peço que seja bondoso e justo comigo, pois eu saberei servi-lo, sendo mulher leal. Só espero que jamais me fale palavras duras, que nunca ouse dizer sequer uma só ofensa por eu ser filha do mar, nem desdenhe ou faça pouco de meu povo e de meu mundo, só porque venho das águas. Caso me contrarie nessas minhas exigências, não saberei perdoá-lo. Será a sua desgraça.

Quinca Seco, sem temer os limites da Mãe-d'Água, mostrou-se, logo, disposto a levá-la para casa.

A moça, muito contente, acertou sua mudança. Pediu que o rapaz viesse na sexta-feira seguinte, noite de lua cheia, quando ela iria com ele, passando a morar na ilha.

– Peço que me traga roupa feita com pano branco, para assim me despedir de meu mundo, que é o mar. Atente bem que essa roupa não deve ser costurada com agulha ou alfinete, qualquer peça de metal. Nem deve conter botões, para que eu possa vesti-la. Desse modo, vou contigo – assegurou ao rapaz, se adiantando, em seguida. – Quero conhecer a terra e como vivem vocês. Se for feliz a seu lado, nunca mais retorno às águas.

Falou que tinha presente, prenda rica para o moço, lembrança daquela noite de seu noivado com ela.

Para tanto, Quinca Seco devia lançar sua rede, ali, no mar, junto à pedra.

Foi o que fez o rapaz. E, quando puxou a rede, trouxe preso, na tarrafa, um baú velho de guerra, com certeza algum tesouro de um dos barcos piratas naufragados na baía.

Ao voltar o seu olhar na direção da pedra, para agradecer à moça o presente recebido, já não viu mais a Mãe-d'Água.

Um casamento feliz

Sem demora, ele partiu, levando o baú consigo.

Em casa, abriu o tesouro, entre surpreso e pasmado.

Dentro, o que mais havia era moeda de ouro e moeda de prata, joias de todo tipo, de esmeralda, de rubi, diamante, água-marinha.

Noutro dia, viajou. Foi para Salvador e vendeu tudo por lá.

Comprou barco de pescar. Comprou, também, caminhão. Um terreno sem tamanho, grande que nem um sítio, bem na praia do mar de onde se via a pedra em que encontrou a Mãe-d'Água.

– Aqui vai ser nossa casa! – prometeu Quinca Seco, já tomando providências para a construção do prédio.

E, na dita sexta-feira de lua cheia no céu, levando um vestido branco de feitio especial, costurado com agulhas, todas feitas com madeira de roseira e laranjeira, conforme se acertara, o rapaz buscou a moça, que veio, feliz da vida, viver nas terras da ilha.

No princípio, foi bem bom.

Quinca Seco e a mulher só viviam namorando.

Mesmo com muito trabalho na agitação dos negócios, ele não se esquecia de lhe levar uma prenda, ao retornar para casa. Flor, tecido rendado, um perfume, uma joia, um enfeite ou um doce, sempre alguma lembrança.

A moça, por sua vez, já no sobrado da praia de onde via sua pedra, cuidava de agradá-lo, trazendo a casa arrumada, a roupa toda lavada, passada e bem cheirosa. Na mesa, a melhor comida. Mais alegria nos olhos, ao receber o marido.

Com as bênçãos da Mãe-d'Água, Quinca Seco ficou rico.

Tinha seis barcos de pesca. Tinha boi. Tinha cacau. Casa em Itaparica. Chácara em Salvador.

Foi ao Rio de Janeiro, levando sua mulher. Subiu lá no Corcovado. Visitou o Pão de Açúcar, a Quinta da Boa Vista e, também, o Zoológico. Viu museu de pintura, museu de bicho empalhado e museu de coisa antiga. Viu cinema colorido e frequentou teatro. Almoçou num restaurante em plena Copacabana.

Fez de tudo o que podia para agradar sua dona.

E ela ficou feliz.

Depois, vieram de novo para a Ilha da Maré, onde a vida prosseguiu na rotina que restava.

A Mãe-d'Água, trabalhando nos afazeres da casa. Quinca Seco, nos negócios daquilo que possuía.

Enquanto passava o tempo.

Com os olhos no mar

Acontece que a riqueza não deixa ninguém igual. E foi mudando o rapaz, que se pôs a ter orgulho, empinando seu nariz.

Não custou a proibir que lhe chamassem de Quinca e até de seu Joaquim. De Quinca Seco, nem fala! Virava bicho raivoso, se alguém se referia a seu nome de costume.

Escolheu, entre os ricaços com mando em Salvador, um sobrenome pomposo, que adotou para si, passando a ser Seabra. Comendador Seabra, conforme dizia agora.

Virou patrão rabugento, mandachuva sem respeito, muito mal-agradecido.

Depois, começou nas farras. E, também, na jogatina, no mais puro carteado, assim como na roleta, onde perdia dinheiro, sem se importar com isso.

Rindo grosso feito rico, passou a namorador, gastando grana com moças, largando em casa a Mãe-d'Água.

Ela tudo suportava, tratando bem o marido.

Quinca Seco, tão mudado e até de nome novo, já não lhe trazia prendas, nem agrados, nem sorrisos. Somente reclamações.

A Mãe-d'Água, tão pacata, entendia que era assim, essa vida aqui na terra, bem diferente da vida que era vivida nas águas, lá no fundo do mar.

Embora compreensiva, contudo, não conseguia evitar uma pontinha de tristeza e de saudade que subia devagar, vindo do coração, lhe alcançando o corpo inteiro.

Eis que, enfim, em certa noite de lua quarto crescente, viu-se a Mãe-d'Água cantando a sua antiga canção, na janela do sobrado, defronte à pedra da praia, feito quem quer outra vida.

E, noutra noite, também, pôs-se de novo a cantar.

Sozinha, sem Quinca Seco, que chegava sempre tarde, noite após noite, a Mãe-d'Água voltava à sua canção, com os olhos lá no mar.

Por mais de uma ocasião, pôs-se a caminhar na praia, bem juntinho de onde a onda deixa espuma na areia.

Porém, não ia adiante, mordendo sua saudade.

Se, às vezes, o marido, mais cedo que de costume, retornava de repente e ouvia a cantoria, punha-se a reclamar.

– Para com isso, mulher! Trate de esquecer do mar! Deixe essas águas pra lá! – gritava, indo dormir, sem qualquer outro cuidado com a tristeza da esposa.

Era o que mais magoava, feito facada de fogo. Contudo, bem tolerante, ela aguardava mudança que trouxesse melhoria para a vida do casal, o que nunca aconteceu.

Chegava a passar a noite, cantando sua canção. Ocasião em que o mar ficava muito nervoso, como que revoltado.

Certa feita, em madrugada de lua cheia no céu, Quinca Seco apareceu bastante contrariado. Qualquer coisa de errado havia acontecido nas farras, nas jogatinas, com as namoradas que tinha.

Mal viu a mulher cantando, na beirada da janela, explodiu com violência.

– Diabos! Pare com isso! – bradou, ainda na porta da casa em que moravam. – Será que agora só sabe cantar essa melodia?! Mas o culpado sou eu! Quem me mandou casar com mulher que vem do mar!? Com dona que não tem filho e só sabe resmungar, cantarolando pra água, sem ter mais o que fazer! – e entrou chutando as coisas. – Raios de mundo do mar! Povo mais misterioso, que só serve pra moqueca com azeite de dendê, nunca para ser esposa! – gritou mais de uma vez.

Foi tudo o que bastou.

A Mãe-d'Água ficou branca feito cal, igual a leite, ainda que fosse morena, tão bonita, tão faceira. Dobrou-se no próprio corpo e deu um longo gemido, como quem sente uma dor do tamanho do infinito.

O que calou Quinca Seco, assustado com a mulher.

Depois, passado um instante, ela levantou os braços, como quem procura o céu, e caminhou para a praia, sem jamais olhar pra trás.

As águas se levantaram trazendo onda gigante, toda coberta de espuma, roncando que nem trovão.

Nessa onda poderosa, a Mãe-d'Água mergulhou, voltando para seu reino.

O mar, porém, prosseguiu.

Alcançou e destruiu a casa de Quinca Seco. Invadiu a sua chácara, que transformou em lagoa, dessas de água salgada.

Quinca, porém, se salvou.

Antes de o mar chegar, correu feito alucinado. Protegeu-se na colina doutro lado de suas terras, onde ficou ilhado.

De lá, onde se encontrava, viu a pedra da Mãe-d'Água. E, apesar da tormenta, das águas tumultuadas e da chuva que caía, pôde ouvir canção alegre, que vinha do horizonte, do leste, onde nasce o sol. Melodia de um mar que se mostrava feliz com a volta da Mãe-d'Água. Ainda que furioso com quem magoara a moça.

E, de onde estava ilhado, Quinca Seco só saiu, após três dias inteiros, com fome, frio e pavor, debaixo de chuva grossa, abandonado e com medo da vizinhança da morte, quando vieram buscá-lo em um barco a motor.

Antes tivesse morrido, pois o que viu em seguida foi só desgraça e tragédia.

Com a tormenta, no mar, seus pesqueiros naufragaram.

A casa em Itaparica, o sobrado em Salvador, uma ruiu com a chuva, outro se incendiou.

Para pagar suas dívidas de farras e jogatinas, vendeu o gado e as terras, a fazenda de cacau, perdendo o que possuía.

Disso, passou a beber, querendo afogar as mágoas.

Hoje, velho e acabado, vive de agradar turista que aparece na ilha, com quem arranja uns trocados. Fora isso, faz uns bicos em falida fabriqueta de azeite de dendê. Trabalha na produção, com que completa a miséria que arrecada todo mês.

Às vezes, pesca um bocado, com uma tarrafa velha. Pega peixe para comer.

Nunca mais viu a Mãe-d'Água, na pedra que ainda existe junto do mar mais limpo, antes do manguezal.

Outros, porém, já viram, vivendo grande aventura, histórias que, com certeza, merecem ser registradas e igualmente contadas, mas em outra ocasião.

A ALAMOA DE FERNANDO DE NORONHA

Poucos sabem, com certeza, como foi que ela surgiu e se acomodou na ilha.

Uns falam que foi há tempos, quando os mares destas terras serviam às traficâncias de piratas holandeses, franceses e mesmo ingleses. Que é a alma penada de mulher que viajava em navio de corsários, embarcação criminosa que por traição de alguém pegou fogo e explodiu junto à Praia do Cachorro.

Dizem que era francesa, embora seja chamada tão somente de Alamoa, por ser loura feito o ouro, ter os seus olhos azuis e ser mulher imponente, mais lembrando uma Valquíria, guerreira de muitas lendas contadas por alemães.

Que essa mulher bonita sempre aparece nas praias, nas noites de tempestade, procurando por alguém que, sendo homem valente, se disponha a ajudá-la a encontrar o tesouro perdido pelos piratas na ocasião do naufrágio.

Há, contudo, os que contestam essa história de corsários e de barco que explodiu lá na Praia do Cachorro.

Preferem assegurar que a Alamoa chegou como se fosse uma deusa, vindo de dentro do mar, ainda que mais pareça um demônio encarnado, por tudo aquilo que faz com aqueles que seduz.

Disto, passou a morar lá nas entranhas do Pico, a grande rocha que fica na extremidade da ilha.

De seu castelo de pedra, essa Alamoa só sai nas noites em que a lua está em quarto crescente. E, em plena madrugada, vaga sozinha nas praias, sempre à procura de um homem, que ela, enfim, aprisiona no interior do rochedo.

De minha parte, porém, mais prefiro acreditar na história que me contou a avó de meu avô, velha que aqui nasceu, viveu e mesmo morreu sem sair do arquipélago. História que ela ouviu do avô de sua avó, que era seu trisavô e, igualmente, habitante de Fernando de Noronha.

Ela, assim, assegurava que, antes da ocupação por piratas europeus, as ilhas do arquipélago eram um reino feliz, pleno de muitas riquezas, governado por rainha que, sendo sábia senhora, bem comandava seu povo, seus peixes, mais os corais, os golfinhos e as baleias, que vêm acasalar nestas águas preciosas.

Com a invasão dos corsários, o reino se encantou e se transformou nas rochas de cada uma das ilhas, restando por suas trilhas e praias à beira-mar o fantasma da rainha, que, com certeza, se guarda lá no morro do Pico, onde era seu palácio.

Nas madrugadas das noites de lua cheia no céu, ela deixa seu castelo, o rochedo onde se esconde. Vem às terras de seu mando e traz vingança nas mãos. À cata dos estrangeiros que destruíram seu reino, faz uso de maldição contra aquele que encontra. Seduz o pobre infeliz, que se entrega a seu poder, sendo levado sem forças e sem qualquer reação para o interior da rocha, onde, aos poucos, se transforma na pedra dura do Pico.

Nessas noites de Alamoa, uivam os cães da vila, enquanto, no mar aberto, golfinhos dançam alegres, saudando sua rainha, com saltos e piruetas sobre o vasto mar salgado, prateado pela lua.

E, nas noites que se seguem, enquanto míngua o luar, geme o vento sudeste, escondendo o desespero, os gritos do condenado, lá, nas entranhas do Pico.

Não nego que seja assim, sendo fato que já vi com estes olhos que tenho e que Deus me concedeu para enxergar a tragédia, quando desapareceu, em Fernando de Noronha, o tenente João Brabante, numa sexta-feira à noite de lua clara e grandona, que jamais vi tão imensa.

História que conto sempre, querendo arrancar da mente essa lembrança perversa, desgraça que aconteceu com esse moço distinto, militar de Pernambuco, da cidade de Olinda, a quem eu servi de guia, enquanto ele precisou e viveu aqui na ilha, no comando de seus guardas.

Entre nós, morou seis meses o tenente João Brabante. E, na Vila dos Remédios, fez amigos de conversas e assuntos esticados. Era alegre e divertido, mergulhava muito bem, até praticava surfe na Praia da Conceição e gostava ainda mais de um forró apurado. Houvesse onde houvesse baile, seja no Bar do Mirante, seja no Bar do Crustáceo ou no Hotel Esmeralda, estava lá o tenente. E as moças se assanhavam, querendo dançar com ele, o que o moço consentia, alegrando todas elas.

Costumava caminhar por várias trilhas da ilha. Ia a princípio comigo e, mais tarde, ia só, quando me dispensou dos serviços que eu prestava. O que me contrariou, mas aceitei sem desfeita.

De uma das caminhadas que o rapaz fez sozinho, ele retornou calado, diferente, amuado, com olhar meio esquecido, olhar de quem pensa muito, bem longe de onde está.

Desde então não foi o mesmo.

Metia-se a caminhar e nunca mais mergulhou. Nem fez surfe. Nem dançou. Nunca mais foi de conversa, estranhando todo mundo.

Mal servia à sua guarda e nunca estava onde estava, por mais que alguém procurasse.

Chegou a emagrecer.

No princípio, não liguei.

Mas, em meio à diferença, logo me intriguei.

Não conseguia entender o que se dava com ele. Apenas desconfiava, fazendo suposições.

– Para ficar desse jeito, com certeza esse moço topou com algum contratempo – pensava eu, só, comigo.

Às vezes, até tentava, numa conversa amigável, pescar uma pista ou lance que me desse uma resposta para todo o sucedido.

Nada, porém, conseguia.

Ia a ele com artifícios, inventando mil desculpas, exagerando os problemas do dia a dia da ilha.

Sem muito esticar assunto, ele cortava a conversa.

Logo me despachava, dando as costas sem questão.

Curioso, como sempre, feito qualquer ilhéu de Fernando de Noronha, resolvi cair no rastro do tenente João Brabante.

Sem que o moço percebesse, passei, assim, a segui-lo.

Concluí que, nas andanças, ele sempre optava por caminhos que alcançassem a direção do Pico. Ficava horas seguidas, fosse à tarde, fosse à noite, com a atenção voltada para o rochedo distante.

Às vezes, se aproximava e chegava bem pertinho, mirando o grande rochedo como quem busca o que some. Porém, não ia adiante, além de onde parava, me deixando perceber algum medo nos seus olhos.

– Parece que caça alguém que encontrou e perdeu... Que guarda no coração um segredo enfeitiçado! – isso eu imaginava, já pensando no indizível, a distância, escondido, observando o tenente que, nas suas caminhadas, com certeza, distraído, nunca deu conta de mim.

Eis que, então, aconteceu a noite da perdição, a sexta-feira maldita de lua cheia no céu; tempo e vez bem de acordo com as tramas da Alamoa, quando quem sabe da lenda não se arrisca numa trilha ou pelas praias da ilha.

Bastante desconfiado, fiquei no pé do rapaz, que encontrei, carrancudo, mastigando alguns quitutes, lá no Clube do Pico, junto ao Hotel Esmeralda.

Nem sequer me aproximei. Apenas fiquei mirando, olhando o moço de longe, enquanto rolava solto o mais alegre forró, coisa que noutros tempos não deixava assim, calado, o tenente João Brabante.

A noite correu depressa, sem mudança em mim e nele.

Até cheguei a pensar que toda a desconfiança era cisma sem valia, tolice de minha parte, coisa de guia ranzinza que não tem o que fazer.

De repente, atinei que o rapaz pagava a conta. E que já se retirava.

– Com certeza, vai dormir, pois passa da meia-noite – pensei comigo, enganado.

E mais me surpreendi, quando logo concluí que o tenente João Brabante punha-se a caminhar na direção que levava ao Mirante do Boldró.

Não custei a persegui-lo.

Cuidando de me guardar para não ser percebido, fiquei em moita por perto de onde era o mirante.

Observava o tenente, que mais parecia atento à grande agitação de um grupo de golfinhos, longe, no oceano.

Por instante, inclusive eu cheguei a me espantar. Em parte, com os golfinhos, por ser uma hora imprópria para tantas piruetas e saltos em alto-mar. Em parte, também, com a lua, que me pareceu maior, gigantesca, bem crescida, em tamanho nunca visto no céu aberto da ilha.

Pouco demorei ali, pois, apressado, o rapaz se dirigiu para a praia, indo até a beira d'água.

Fiquei de longe, espiando.

E se ele caminhava, indo adiante na areia, de onde estava escondido, eu caminhava também.

Com isso, certifiquei. O que o tenente caçava só podia ser alguém que vinha da pedra do Pico, que ele catava com os olhos ao acelerar seus passos.

Indo em marcha, sem parar, da praia pôs-se na trilha e da trilha que alcançou enfiou-se em outra praia, que percorreu num minuto.

Assim seguiu adiante, passando por mil lugares de Fernando de Noronha, feito quem rodeia a ilha.

Feito quem procura alguém!

Após tantas caminhadas, o tenente João Brabante, enfim, sossegou seus passos na praia da Conceição.

Sentou-se na linha d'água, onde descansam as ondas por cima do areal.

Mirando aqui e acolá, pôs-se, ali, a espreitar, como quem espera alguém, que não custou a chegar.

Entre rumores de cães uivando longe pra lua em vários cantos da ilha e ligeiro vento frio que zumbia bem baixinho, confesso que senti medo, quando vi a Alamoa, que surgiu assim do nada, linda, brilhante, dourada, nua à beira-mar, bem nas proximidades da Curva do Tamborello, na praia da Conceição.

E, também, vi o tenente correndo na direção do espectro despido. Parecia um condenado, um alguém desesperado que se atormenta subindo num pau de sebo sem prenda, com nota falsa na ponta.

A Alamoa, maldita, não se deixou alcançar. E, na carreira dos dois em jogo de pega-pega, mais brincadeira de liga, pôs-se a levar o moço até as bandas do Pico.

Às vezes, me parecia que ela ia se entregar ao rapaz apaixonado. Nessa hora, alucinado, ele avançava até ela, acelerando a corrida. E até chegava perto.

A Alamoa, porém, sagaz feito passarinho, ave dourada da noite, escapava de suas mãos, renovando a tentação.

Claro está que fui atrás, sorrateiro pelas trilhas, tentando alcançar o moço para livrá-lo daquilo.

Cheguei a chamar por ele.

Uma, duas, muitas vezes.

Em vão, ele não me ouviu, nem mesmo me percebeu, tamanha a sua paixão.

E, quando os dois alcançaram as redondezas do Pico, por fim, eis que aconteceu a mais cruel das tragédias que já vi em minha vida.

O rochedo se abriu, como quem apronta abraço.

E a Alamoa perversa, antes bela, antes nua, transformando-se na morte, tétrica imagem do amor, esqueleto de carvão, arrastou para as entranhas do imponente penhasco o tenente João Brabante.

Logo a pedra se trancou, aprisionando o rapaz no reino da Alamoa.

Justo na hora precisa em que a lua se escondia por detrás de negras nuvens.

Quando os cães uivaram mais. Ventando forte na ilha.

Disto, não vi mais nada.

Retornei apavorado para a Vila dos Remédios, onde cheguei não sei como. Completamente despido de coragem, de vigor. Com vontade de morrer, para nunca mais lembrar esta história que eu conto.

No correr dos outros dias, prosseguiu o vento forte. E o mar se revoltou, com ressaca violenta por todo o fim de semana.

Decerto fiquei em casa, mais parecendo doente, sem conversar com ninguém.

Na semana que entrou, houve grande rebuliço, com o sumiço do tenente.

Uns aventaram suicídio, pois o moço andava estranho, certamente descontente com algum fato distante ou notícia de Olinda, caso desconhecido que ele guardava consigo sem revelar pra ninguém.

Outros se adiantaram, garantindo que o rapaz se encontrava mal dos nervos.

Houve mesmo quem dissesse que o tenente se afogou na Baía dos Golfinhos.

E houve quem contestasse, garantindo que a tragédia na verdade acontecera junto à Ponta da Sapata.

Só num ponto concordavam os mais falantes da ilha: que o corpo do infeliz, com certeza, se perdera nas águas do mar bravio.

Calado por meu pavor, eu nunca dizia nada.

Duas semanas depois, veio um major da polícia a Fernando de Noronha, só para investigar o que havia acontecido.

Era um militar severo, com quem tentei conversar.

Nem cheguei a completar a história que sabia.

O homem me ameaçou com gritos, feito uma fera. Mandou que eu calasse a boca. Que cuidasse de guardar minhas loucuras comigo. Falou que, se eu prosseguisse com a história da Alamoa pela Vila dos Remédios, me trancafiava a ferros, me levando prisioneiro pra cadeia no Recife.

Chegou mesmo ao desatino de insinuar que eu estava envolvido no sumiço do tenente João Brabante. Disse que desconfiava. Que ia ficar de olho, observando meus passos.

– Com essa ideia maluca, essa história de fantasma, de Alamoa assassina, você só difama a ilha, aqui e no exterior! Toma juízo, rapaz! Amarra já essa boca! E pode se retirar! – berrou comigo o major.

Voltei pra casa perdido e me recolhi por tempos que deixei de trabalhar como guia de turistas.

Quando tudo se acalmou e o major foi embora sem maiores conclusões a respeito da tragédia, fui um dia até o Pico, onde plantei uma cruz e rezei uma oração.

Volta e meia, chego lá.

Às vezes, quando disposto, numa madrugada ou noutra de lua cheia no céu, armado com um porrete, fico de longe mirando a Praia da Conceição, a Curva do Tamborello.

Em vão, não vejo a maldita.

Claro que, nestas horas, me sobrevem grande susto, se uiva um cão a distância, se esfria um pouco o tempo, com ligeira ventania. Contudo, a bem da verdade, nunca mais me apareceu a Alamoa perversa, rainha do arquipélago.

A SERPENTE ENCANTADA DE JERICOACOARA

Em Jericoacoara, praia de areias brancas, no Estado do Ceará, com dunas de trinta metros se movendo à beira-mar, conforme o gosto do vento, existe, avançando n'água, um rochedo com farol que é mais um monumento do que luz pra viajante.

No interior dessa rocha há uma grande caverna, cuja porta fica à mostra nas horas de maré baixa.

Afirma o povo de lá, dessa praia abençoada por nuvens de gaivotas nas horas do pôr do sol, que, na gruta do rochedo, há tempos de perder conta, se encontra, cumprindo sina, uma princesa encantada. O seu corpo é uma serpente, com cabeça de mulher. Tem, também, braços e pernas.

Ela reina sob as dunas, onde existe uma cidade que também é encantada, sendo toda de cristal. E, no centro da cidade, uma imensa catedral, com treze sinos de bronze que tocam nas madrugadas de eclipse da lua, quando sopra um vento forte na direção do horizonte.

É só prestar atenção para ouvir o badalar desse carrilhão de sinos do reino dessa princesa.

Na hora, o mar fica bravo e o vento rodopia, mudando as formas das dunas, no litoral cearense.

Tudo fica diferente, pela vasta beira-mar, quando tocam esses sinos.

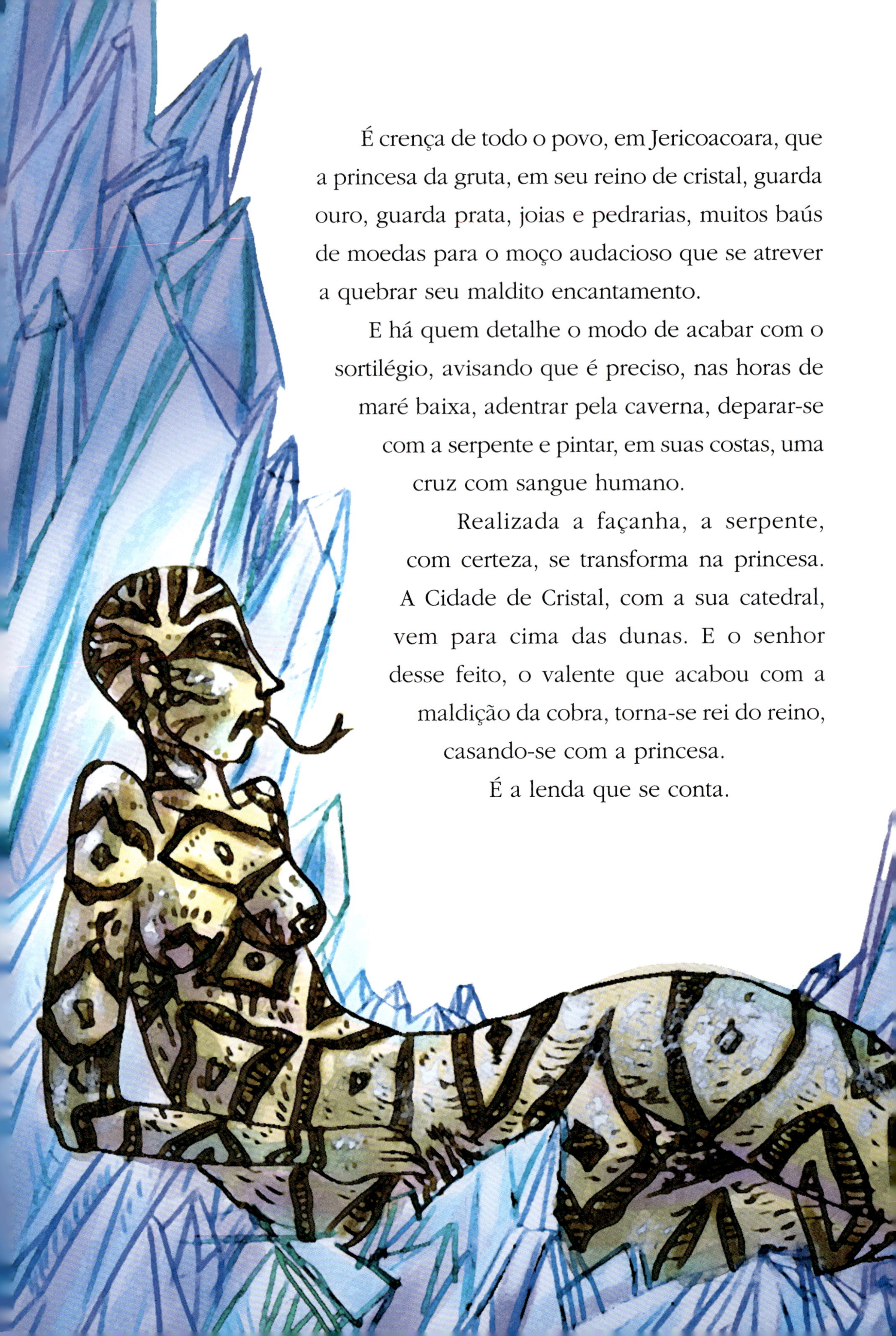

É crença de todo o povo, em Jericoacoara, que a princesa da gruta, em seu reino de cristal, guarda ouro, guarda prata, joias e pedrarias, muitos baús de moedas para o moço audacioso que se atrever a quebrar seu maldito encantamento.

E há quem detalhe o modo de acabar com o sortilégio, avisando que é preciso, nas horas de maré baixa, adentrar pela caverna, deparar-se com a serpente e pintar, em suas costas, uma cruz com sangue humano.

Realizada a façanha, a serpente, com certeza, se transforma na princesa. A Cidade de Cristal, com a sua catedral, vem para cima das dunas. E o senhor desse feito, o valente que acabou com a maldição da cobra, torna-se rei do reino, casando-se com a princesa.

É a lenda que se conta.

Mas quem conta uma lenda, sempre acrescenta uma prenda, inventando outros caminhos, percursos e aventuras na história que apresenta.

Assim, há mil controvérsias a respeito da princesa, da Cidade de Cristal, da catedral submersa e de toda a maldição. Também existem uns casos, falando de muita gente que tentou desencantar o corpo dessa serpente.

Surfistas audaciosos, moços cheios de mistérios, tipos que vêm de longe. De Fortaleza, Recife, Terezina, João Pessoa, Salvador, Campina Grande e, ainda, de Olinda. Outros chegam de São Paulo. Há, também, uns capixabas e cariocas falantes, mais moços de Curitiba. Há compridos de Floripa. Mineiros desconfiados. E grandalhões de Pelotas. Gente de Campo Grande, de Palmas, de Cuiabá. De Brasília sempre tem, assim como de Goiânia. Além dos moços do Norte, que completam a listagem.

Todos querem se casar com a princesa da gruta, reinar por tempo infinito na Cidade de Cristal, donos de muita riqueza, só tomando água de coco com peixe frito e siri, à beira-mar, sossegados.

O mistério do mágico

É tanta gente que chega e fracassa na empreitada que os moradores da praia, amolados com essa história, já tratam de espalhar as notícias mais diversas sobre a serpente encantada.

Adiantam que a princesa não reside mais na gruta.

Que casou e se mudou pra Juazeiro do Norte.

Ou migrou para São Paulo, à procura de emprego, que, aliás, nunca arranjou. Que estando desempregada, na falta do que fazer, acabou globalizada. Tem banca de marreteiro, na Avenida Paulista, vendendo quinquilharia comprada no Paraguai.

Em Jericoacoara, há, contudo, uns mais sisudos, que não gostam de brincar com as histórias da princesa.

Vivem para assegurar que, em plena madrugada, sempre ouvem badalar os sinos da catedral, na Cidade de Cristal.

Guardam com grande carinho as passagens mais bonitas, dentre as tantas tentativas de desencantar a cobra.

Sempre lembram, por exemplo, do moço feio e corcunda, que apareceu na vila, com a chegada de um circo.

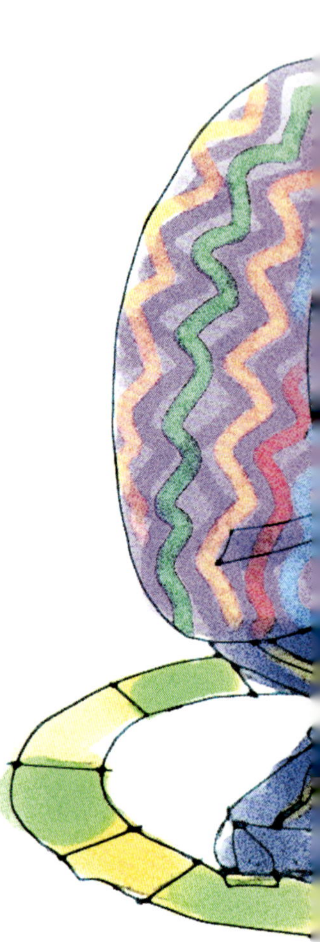

Era mágico, o rapaz!

Do bolso, tirava pombos. Dez coelhos da cartola. Transformava fogo em fita, tudo fita colorida.

Com um tigre-de-bengala, animal muito raivoso, fazia uma sombrinha dessas de levar à praia. E, depois, retransformava essa sombrinha no tigre.

O povo se impressionou e o moço fez sucesso no circo das palhaçadas, dos trapezistas malucos, dos treze malabaristas, da moça da corda bamba, dos sete motociclistas que arriscavam suas vidas dentro do globo da morte.

Desse sucesso do moço, alguém logo adiantou que a corcunda e a feiura, mais a magia do jovem, com certeza, escondiam algum príncipe galante. Herói no feitio certo para desencantar a Cidade de Cristal, casando-se com a princesa.

Tanto cresceu a história que, em noite de sessão, estando o rapaz no palco, às voltas com a tal sombrinha que era tigre-de-bengala, levantou-se, na plateia, um velho vereador de Jericoacoara e exigiu que o jovem cumprisse a sua sina, o destino grandioso que a sorte lhe entregava. Com sua sabedoria de mágico experiente, que ele desencantasse a serpente da caverna, libertando a pobre moça e as riquezas da cidade sepultada sob as dunas.

O jovem, meio assustado com a proposta repentina, quase que se atrapalhou, quando refazia o tigre, com a sombrinha de praia.

Mas se dispôs à missão, ficando tudo marcado para a tarde de domingo, na hora da maré baixa.

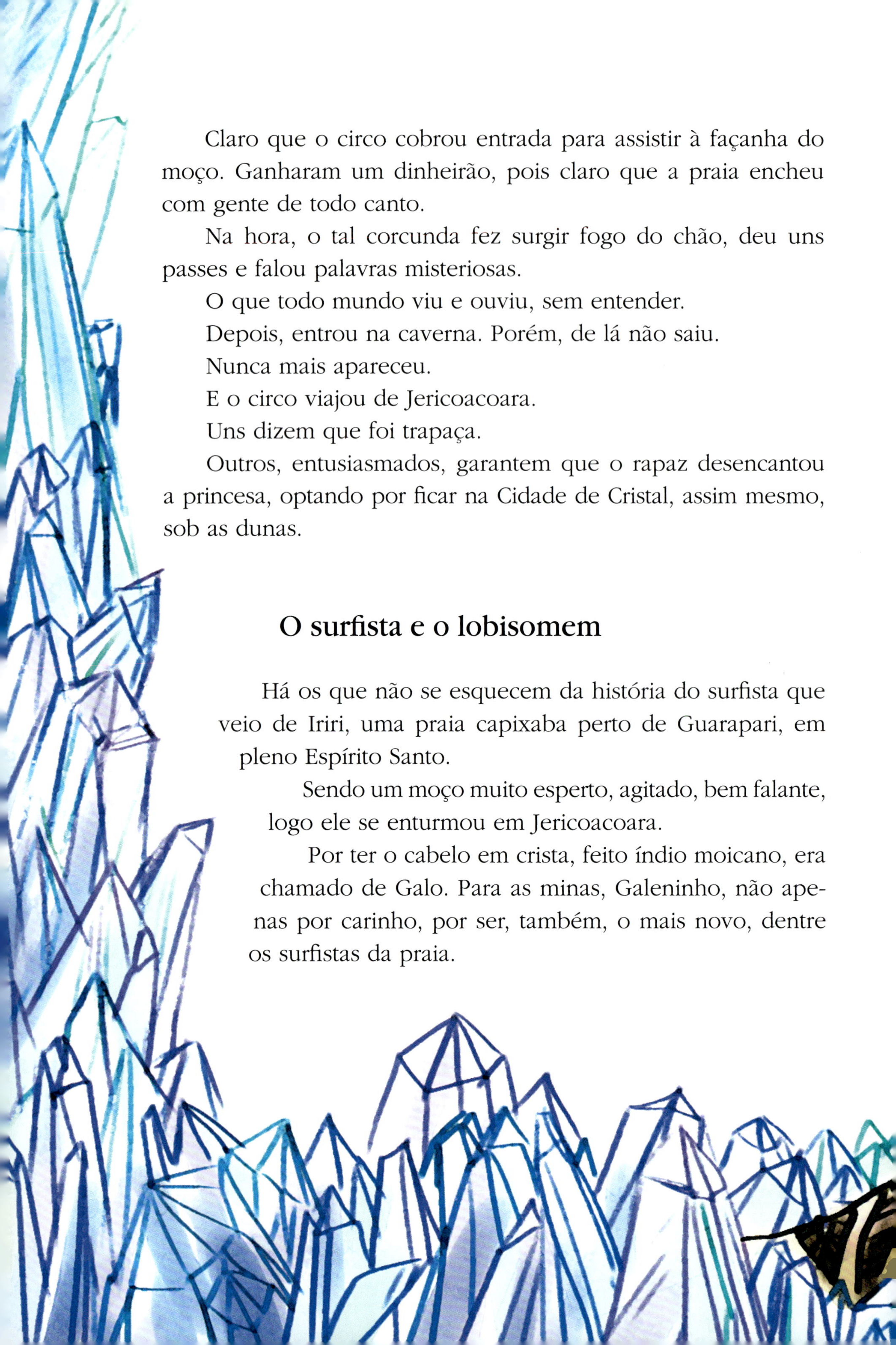

Claro que o circo cobrou entrada para assistir à façanha do moço. Ganharam um dinheirão, pois claro que a praia encheu com gente de todo canto.

Na hora, o tal corcunda fez surgir fogo do chão, deu uns passes e falou palavras misteriosas.

O que todo mundo viu e ouviu, sem entender.

Depois, entrou na caverna. Porém, de lá não saiu.

Nunca mais apareceu.

E o circo viajou de Jericoacoara.

Uns dizem que foi trapaça.

Outros, entusiasmados, garantem que o rapaz desencantou a princesa, optando por ficar na Cidade de Cristal, assim mesmo, sob as dunas.

O surfista e o lobisomem

Há os que não se esquecem da história do surfista que veio de Iriri, uma praia capixaba perto de Guarapari, em pleno Espírito Santo.

Sendo um moço muito esperto, agitado, bem falante, logo ele se enturmou em Jericoacoara.

Por ter o cabelo em crista, feito índio moicano, era chamado de Galo. Para as minas, Galeninho, não apenas por carinho, por ser, também, o mais novo, dentre os surfistas da praia.

Vivia sempre nas ondas, com sua prancha vermelha. Muitas vezes ia além do lugar em que surfavam os seus outros companheiros.

Alcançava o alto-mar e sumia no horizonte.

Só retornava de noite, sendo logo procurado por alguns de seus amigos já bastante preocupados.

Por essas que aprontava, criou fama de valente. E foi o que só bastou para ser desafiado.

Um surfista de Manaus, mais outro de Porto Alegre duvidaram que tivesse a ousadia de entrar na caverna da princesa.

– Lá na gruta do farol?! Meu! Essa onda, eu pego! – fechou acordo com a turma. – Desencanto a tal serpente e me amarro na mina! Passo o resto de minha vida surfando no Ceará. Com certeza é tudo aquilo que Deus deseja pra mim! – adiantou, animado.

Entrou, enfim, na caverna.

Dizem que viu a cobra.

Que chegou a se sangrar, para cumprir a façanha. O que provou para todos, mostrando o corte no braço.

Porém, no exato instante de aplicar o preceito, pintando a cruz na serpente com o sangue de seu corte, lembrou-se de outra mina, morena das mais incríveis, capixaba de Vitória, que esperava por ele, com mil promessas de amor.

Foi a conta! Desistiu!

– Ô meu! Num fico aqui, não! – pensou, na hora, consigo, retornando à sua prancha.

E a princesa encantada, na verdade, contam uns, ficou bastante frustrada, lá no fundo da caverna.

Em Jericoacoara, muitos também se recordam de um cara almofadinha, sempre de terno e colete, mais sapato de verniz, que, no tempo da quaresma, apareceu pela praia.

Era um tipo perfumado, com cabelo carregado de óleo de lanolina. Um sujeito exagerado, requintado e afetado, nos modos e cumprimentos, que logo se fez notar, com alguma antipatia.

Estava sempre rondando o rochedo do farol. E, nas horas de vazante, ficava mirando a boca da caverna da princesa.

Só mirava. Nunca entrava.

Percebendo a atenção que esse cara dedicava à gruta da serpente, houve alguém que insinuou que o tipo podia ser um príncipe disfarçado, à espera do momento de cumprir sua missão na Cidade de Cristal.

– Afinal, é sempre assim que acontece nesses casos de magia, encantamentos, feitiços por desatar! De onde menos se espera, aparece a solução! – comentava-se na vila. – Vai que esse chato chega e desencanta a cidade que existe sob as dunas! Vira rei de todos nós!

Passaram a vigiá-lo.

Na espreita, em sigilo, todos se revezavam.

Foi seu Nico da farmácia quem primeiro alertou:

– Que príncipe, qual o quê! Esse cabra é lobisomem! – advertiu aos amigos. – Tem muito cachorro uivando, todas as noites, na vila! É sinal do bicho ruim! Depois, eu já reparei! Onde passa o sujeitinho, não fica um cachorro perto! Sai tudo na disparada! É outro sinal do trem! Aguardem a lua cheia, que verão como estou certo! – concluiu, com segurança.

E foi o que aconteceu.

Quando veio a lua cheia, deu de aparecer na praia, toda noite, um lobisomem, assustando muita gente.

Chegou a criar problema ao atacar dois rapazes, todos os dois estrangeiros, que passeavam de férias.

Feriu, também, uma dona, paulista de Itapira, que era mãe de um surfista e, um tanto às escondidas, se hospedava na vila para vigiar o filho.

Houve, por fim, quem contasse que, na sexta-feira à noite, o bicho entrou e rosnou na caverna da serpente, mas saiu de lá ferido, correndo e ganindo muito.

A notícia se espalhou.

Noutro dia, quando viram o tal tipo almofadinha caminhando pela praia, perceberam que mancava e que tinha um olho inchado, mais curativos na testa, no queixo e na mão esquerda.

Foi a conta pra certeza.

– Eu sabia!!! Ainda bem que falei! Avisei a todo mundo! Não escondi de ninguém! – insinuou-se seu Nico, orgulhoso de seu faro para encontrar lobisomem. – O pilantra do sujeito levou uma boa surra da cobrona, lá na gruta! – comentou com os amigos.

Passado o tempo da lua, por ordem da prefeitura, deram sumiço no tipo, que foi arrastado a força, levado num caminhão pras praias do Piauí, proibido de voltar a Jericoacoara.

De repente, Zé da Hora

No verão do ano seguinte, a história se animou, quando apareceu na praia um velhote atarracado, com barba e cabelos longos, sujeito muito animado, que logo ficou famoso.

Chamava-se Zé da Hora. De quem todos se recordam, em Jericoacoara.

Além de vender lembranças, fitinhas do Padre Cícero para amarrar nos braços, brincos, cordão de contas, conchas, búzios, caracóis, era hábil repentista de versos que elaborava para as garotas, na areia, recebendo alguns trocados, às vezes dos namorados e até mesmo das moças, que copiavam seus versos, dando boas gargalhadas.

Soprando em sua tuba ou batendo em seu bumbo, Zé da Hora pontuava essas quadras que fazia.

E aquilo era um sucesso junto da garotada.

Ora, dizia assim:

Essa loura muito linda
Apaixonou-se por mim.
Será que ela não percebe
Que sou um cara chinfrim?!

Ou, então, dessa maneira:

A morena cor Caribe,
Muito bem acompanhada
Desse praiano a seu lado,
Quando fala em casamento,
Deixa o rapaz assustado!

E era só alegria, ainda mais quando o bumbo completava a brincadeira: *Pam! Pam! Pam! Pampampã! Pampã!* – reforçava Zé da Hora, indo adiante, na praia, parando aqui e ali, vendendo a mercadoria.

Às vezes, vinha com a tuba. E era uma agitação.

Sempre muito bem-disposto, sob sossegada sombra de um grupo de coqueiros, diante da multidão, passava horas a fio, versejando a história da serpente encantada:

Em Jericoacoara,
Onde mora Zé da Hora,
Existe uma catedral
Por debaixo das areias,
Com treze sinos de bronze
E uma torre dourada,
Uma princesa-serpente,
Uma cidade encantada!

Isso é coisa que conheço,
Pois, quando cheguei aqui,
Padre Cícero Romão
Abençoou os meus olhos
E benzeu as minhas mãos.
Sendo assim, eu pude ver
A Cidade de Cristal,
A catedral submersa,
Mais a serpente encantada
Da caverna do farol!

Pam! Pam! Pam! Pampampã! Pam! Pam!

E, logo, continuava:

Antes do encantamento,
A princesa era tão bela
Que mesmo Helena de Troia,
Greta Garbo e Jacqueline,
Até Brigitte Bardot,
Marta Rocha, em Salvador,
A mulher do presidente,
Meio mundo e bem mais gente,
Exaltavam sua graça!

Caprichando nos detalhes, prosseguia o cantador:

Contudo, era bem modesta.
Não sendo moça de fita,
Conversava com os pobres,
Com ricos, remediados
E até fazia feira.
Ia à praça, ia à missa,
Sem maior preocupação,
Sempre aplaudida por todos!

Pam! Pam! Pam! Pampampã! Pam! Pam!

Zé da Hora se animava. E, assim, virava o disco da história dessa lenda, contando seu lado triste:

Mas, aconteceu que um dia,
Uma bruxa muito ingrata
Acabou com a folia.
Usando magia rara,
Em Jericoacoara,
Aprisionou a princesa,
Que transformou em serpente,
A Cidade de Cristal,
A catedral submersa,
Todo o seu reino dourado!

Daí, sem muita demora, concluía em alto estilo:

Com o corpo de serpente,
A princesa enfeitiçada
Aguarda por um valente
Disposto a desencantá-la!
Um guerreiro audacioso,
Destas praias ou de fora.
Mas, estando apaixonada,
Deseja de coração
Que ele seja o Zé da Hora!

Pam! Pam! Pam! Pampampã! Pam! Pam!

Era só o que faltava!

E a multidão em delírio aplaudia o repentista!

Quando então seguiam todos, acompanhando o poeta até o farol da pedra, onde se encontrava a gruta.

Ficavam tempo por lá, aguardando a maré baixa.

E, quando a maré descia, alguns dos mais corajosos adentravam na caverna.

Zé da Hora nunca entrava. Ficava fora, com a tuba ou batucando seu bumbo.

Logo voltavam os moços, sem desencantar a moça.

Zé da Hora, com seus versos, avisava que um dia haveria de provar que a missão lhe competia.

Contudo, na hora certa!

E a hora, enfim, chegou

Foi num dia em que a maré recuou mais do que sempre, deixando bastante espaço para se entrar na gruta.

Quando Zé da Hora entrou, trazia bastante gente, jovens de muitos cantos e até mesmo da vila.

O grupo, todo animado, seguiu por um bom pedaço na escuridão da caverna. Até que todos pararam, quando viram a distância uma luz se insinuando.

Foi um certo Ribamar, moço do Maranhão, nascido em Imperatriz, quem começou o tumulto.

– É a cobra que vem lá! A tal princesa encantada! A serpente, minha gente! – ele gritou, assustado, apontando para a luz.

Uns correram para trás.

Outros foram para a frente.

Em medonha barafunda, todos queriam fugir.

Três rapazes muito fortes, imbuídos de coragem, dispostos a pôr um fim na história do encantamento, agarraram Zé da Hora, prontos para sangrá-lo.

– Se é sangue que a cobra quer, que seja seu sangue, Zé... – logo gritou um deles, justo um pernambucano, que trazia em suas mãos um bitelo canivete, aberto e pronto pro corte.

O infeliz Zé da Hora achou que estava perdido.
Pediu pelo amor de Deus.

Falou que era brincadeira. Que não havia princesa, nem Cidade de Cristal. Que era lenda a história.

Quando os moços recuaram, aceitando seus protestos, Zé da Hora, impressionado com a luz que refletia lá no fundão da caverna, renovou seus argumentos:

– Mas o sangue que é preciso, é sangue de gente jovem... feito o sangue de vocês! Que tal, moçada valente...?! – sugeriu, em liberdade.

Recusando a sugestão, desta vez foi outro moço, o nascido em Mato Grosso, que partiu para a ameaça:

– Sangue é sangue e não importa a idade da pessoa que vamos sacrificar! – retrucou, decidido, empunhando o canivete do rapaz pernambucano.

E de novo aqueles três seguraram Zé da Hora, prontos para sangrar o infeliz repentista.

– Deixa a cobra chegar perto, que a gente resolve isso! É só cortar no pescoço, onde tem sangue de sobra – frisou, então, o rapaz que era de Macapá.

Zé da Hora implorava:

– Pelo amor de Deus, moçada! Para já com essa história!

Sorte dele que a serpente mais parecia parada, permanecendo lá longe, sem nunca se aproximar.

Os moços, por sua vez, bem ficavam onde estavam, não ousando avançar.

Enfim, a maré voltou.

Um aguaceiro danado, que obrigou os rapazes, mais o pobre Zé da Hora, a saírem da caverna, apressados e assustados, com medo de se afogar.

E o último a sair, claro que foi o Zé.

Na manhã do outro dia, para tristeza de tantos, ninguém ouviu pela praia o barulho de seu bumbo, o bom som de sua tuba, os versinhos que cantava.

Disseram que viajara para Quixeramobim, no interior do Estado.

Houve, porém, quem contasse que, em plena madrugada, com o badalar dos sinos da catedral submersa na Cidade de Cristal, Zé da Hora, encantado, foi levado pelas águas para dentro da caverna, onde vive essa princesa que tem corpo de serpente e cabeça de mulher.

Em Jericoacoara!!!

SUDESTE

O INCRÍVEL FAMILIÁ DO CORONEL CÉSAR PAIVA

O Coronel César Paiva, fazendeiro poderoso das terras de Januária, bacia do São Francisco, norte de Minas Gerais, na verdade, nunca foi um coronel de patente. Mandachuva da cidade, no respeito, todo o povo costumava assim chamá-lo.

Além de ser homem bravo, por costume, obedecido, tinha fama de sortudo, pois, enquanto ele era vivo, sempre foi premiado em tudo que concorria.

Ganhava burro na rifa! Mais de uma vez ganhou! Galo de briga em aposta! Dinheiro no carteado! Em bingo, fechava o cerco! Era só o coronel quem preenchia os cartões!

Muitas vezes, em quermesse e mesmo em festa de santo, se havia algum sorteio, tinha sempre prêmio duplo! Um, antes, já reservado para o dito coronel, desde que não concorresse, deixando a prenda seguinte correr solta para os outros! Bilhete de loteria, tinha ganho uma porção! Nem sempre o prêmio total, mas algum prêmio ganhava!

Era o que se sabia!

Na hora de vender gado, o preço sempre subia, se o vendedor era ele! E, na hora de comprar, caía o preço na praça!

Tanta sorte tinha o homem, que não perdia eleição!

Muitas vezes, inclusive, com os votos já contados e o Coronel César Paiva com a vitória garantida, era ele informado da morte misteriosa de algum adversário, quase sempre morte rápida, coisa bem de repente, crise no coração, um derrame ao acordar, congestão por jantarado, conforme, assim, atestava o médico Álvaro Cortes!

Por sorte do coronel, desse modo acontecia!

E por isso, em Januária, todos acreditavam que o coronel possuía, preso num garrafão, em segurança trancado no oratório de sua casa, na Fazenda São

Felipe, um filhote de capeta, menor que mico de circo, espécie de talismã que bem protege seu dono, tradicional amuleto, na região conhecido como Familiá.

A história se complica porque, a bem da verdade, nunca ninguém, nem de longe, viu esse Familiá.

Uns viram o garrafão, que era de vidro fosco, mas o capetinha, nunca.

Depois, é muito enrolada, com uns lances controversos e opiniões variadas, a maneira como foi que o coronel conseguiu seu talismã precioso.

Uns diziam:

– Foi assim...

Outros:

– Não! Pois foi assado...

Cozido... Frito... Torrado... Nunca se concordou a respeito da questão.

Muitos até brigaram, disputando, com certezas, a justa razão da origem desse Familiá.

O velho Luís dos Santos, tabelião da cidade, jurava que o fazendeiro recebera o capetinha das mãos de sua mãe preta.

– Era uma dona gordona. Chamava-se Gimiana. Negra de vastos saberes, conhecimento africano! – falava o tabelião, em voz baixa, no cochicho. – Quando seu César Paiva completou os vinte anos, ela tirou de um baú que herdara da avó, uma escrava de nascença, o garrafão que continha esse Familiá. Deu a prenda pro rapaz, que criara feito filho. Desde então grudou a sorte, na vida do coronel.

Como num consentimento, havia quem se calasse, diante da revelação.

Quem muitas vezes negava essa duvidosa história, que chamava de invenção, era seu Geraldo Bruzzi, o diretor do colégio.

– Que mãe preta, coisa alguma! – reagia, com vigor. – Eu conheci Gimiana! Era até mulata clara! Magra feito um palito! Aliás, religiosa! Nunca iria se meter nessa feitiçaria que possui o coronel! – segredava, moderando o impulso inicial, temeroso por chamar o talismã de feitiço.

Em seguida, com detalhes, contava sua versão:

– Esse Familiá, seu César Paiva pegou de um cigano espanhol chamado Antonico Cano. Era um homem corpulento que costumava acampar na Fazenda São Felipe, trazendo várias barracas e toda uma ciganada. Vendia muito cavalo, muito objeto de bronze, fazia coisas de couro e consertava uns arreios. Um dia, ele apareceu oferecendo o duende, nome que o espanhol dava ao Familiá. O coronel se agradou e comprou o amuleto. Pagou bastante dinheiro! É o que posso jurar!

A história convincente era, porém, contestada por seu Ari Souza Pinto, dono de um grande açougue que havia em Januária.

Segundo ele relatava, foi o turco Seba Quibe, vendedor de casimira e de tropical inglês, quem trouxe como encomenda o Familiá famoso.

– Esse turco era danado e vendia de um tudo. Certa vez apareceu vendendo uns patuás, onde jurava que havia terra do monte Calvário, em que morreu Jesus Cristo, no sacrifício da cruz. Vendeu tudo num só dia para vários fazendeiros – explicava seu Ari, vindo com sua versão sobre o Familiá. – Estava na São Felipe, comprando boi para corte, quando vejo Seba Quibe, carregando o garrafão. Pensei até que era vinho. Mais tarde, compreendi qual era o seu conteúdo. Isso já faz tantos anos, que o turco até sumiu das bandas do São Francisco.

Poucos acreditavam nessa revelação do conhecido açougueiro, por ser história esquisita, cheia de contradições.

Primeiro, o tal do turco de fato não era turco. Era sírio-libanês, da cidade de Beirute. Aliás, só libanês. Nem chamava Seba Quibe, realmente um apelido de explícito mau gosto. Tinha um nome até pomposo, sendo Mustafá Samir. Depois, esse Mustafá era crente muçulmano, seguidor de Maomé e fiel a seus preceitos. Nunca iria se envolver nem com terra de Calvário nem com um Familiá.

Quem rondou muito mais perto da verdade dessa história foi seu Tatá Serenari, condutor e proprietário do principal gaiolão que levava carga e gente através do São Francisco, naquele tempo de mando do Coronel César Paiva.

Com firmeza, assegurava que o próprio fazendeiro foi quem gerou o capeta, obtendo o diabinho conforme orientação do caboclo Zeferino, mestre artesão dos melhores, entalhador de carrancas, dessas usadas nos barcos que navegam pelo rio.

– Zeferino me contou essa história há muito tempo. Na verdade, o coronel, quando ainda era moço, antes de se casar com a dona Filomena, lhe comprou esse segredo por um dinheiro sem conta – revelava seu Tatá para quem quisesse ouvir.

E debulhava o segredo, sem a menor cerimônia:

– Quem ensinou a astúcia ao caboclo Zeferino foi um tipo que era índio, um pajé aparentado de seu falecido avô. Para se conseguir um Familiá dos bons, o sujeito tem que ter, primeiro, um ovo de galo, o que não é nada fácil!

Adiantava a receita, falando que o coronel levou dois anos inteiros criando duzentos galos, na Fazenda São Felipe, para obter esse ovo.

– Só depois de muito custo é que ele conseguiu! Enfim, encontrou o ovo, por acaso e à noitinha, num sábado de aleluia. Era um ovo bem fresquinho, que tinha sido botado por um galo carijó. Um ovinho arredondado, feito de juriti – detalhava Seu Tatá. – Aí, no dia devido, que na verdade ignoro, já que o caboclo, contido, se negou a me contar, seu César botou o ovo bem debaixo do sovaco que fica no braço esquerdo, o braço do coração, e ali chocou o trem. Por trinta dias seguidos, teve febre, calafrios, ficou de cama deitado, doente, desenganado, como sempre acontece no tempo da chocação, mas manteve o ovo lá, direitinho no lugar, até que o ovo estalou e o capetinha nasceu.

Completava seu Tatá que, nascendo o amuleto, o coronel melhorou e, logo, trancafiou o filhote de demônio num garrafão preparado, lavado com água limpa da fonte do São Francisco e com bebida secreta feita num alambique todinho de barro branco.

– Foi daí que ele casou e pôs-se a ter essa sorte que o velho sempre teve. O resto é pura lorota, conversa de quem não sabe nem um tico da história. Que mãe preta! Que cigano! Que Seba Quibe, que nada! O negócio foi assim, que não tem outro caminho para se conseguir um Familiá raçudo, igual ao do coronel – concluía o barqueiro, virando mais uma dose da aguardente já paga pela turma que escutava de olhos arregalados e de novo interessada em ouvir o mesmo caso, contado mais uma vez, igualzinho como sempre, no balcão do botequim de seu Adolfo Navarro, junto do armazém onde ficavam as cargas que iriam no gaiolão através do São Francisco.

E há os que ainda dizem que seu Tatá não ficou nem um pouquinho enrolado, quando, em certa ocasião, contando essa mesma história, apareceu no boteco o Coronel César Paiva que, em silêncio, escutou todo o restante do caso.

Nada disse ao chegar. Depois, ao se retirar, cumprimentou um por um e mandou que seu Tatá fosse buscar na fazenda uma encomenda que tinha para embarcar na gaiola.

Fato que impressionou todo o povo da cidade, correndo de boca a boca o que havia acontecido, sem maiores consequências.

E, se há muitas divergências a respeito do amuleto, num ponto todos concordam: por mútua desconfiança, nem Coronel César Paiva, muito menos o diabo, mandachuva do inferno, conseguiram se entender no pacto necessário para se controlar todo bom Familiá. Desse modo, careceram de acertar o contrato, ficando a causa pendente, trazendo atrapalhação.

Por isso é que aconteceu a história que contava o doutor Álvaro Cortes, amigo, médico antigo, sobretudo, protegido do fazendeiro sortudo.

Sem se incluir na polêmica da origem do amuleto, que achava irrelevante, dizia que o coronel, ao abrir o garrafão para fazer um pedido, certa feita, distraído, permitiu que o capetinha escapasse da prisão.

– Foi um parto complicado, recuperar o demônio! – comentava o doutor, entre duas baforadas com seu charutinho curto. – Quem salvou o coronel foi mesmo dona Leni, viúva de seu Pipi, aquele coveiro antigo que morreu envenenado com a água do cemitério. Ela, que era baiana e mulher de santo feito, criada nos bons terreiros de umbanda e candomblé, forneceu a simpatia que permitiu retrazer pra dentro do garrafão o Familiá do velho.

Simpatia complicada, sendo uma rede tecida com crina de sete éguas, todas ainda sem cria. Rede que se devia tecer em lua crescente, numa sexta--feira à noite. Assim, ficava encantada, adquirindo poderes para capturar o capetinha fujão.

– Seu César mandou fazer e a rede ficou pronta, bem de acordo com o riscado – adiantava o doutor. – Depois, conforme instruído, ia toda madrugada para o pomar da fazenda procurar o diabinho. Sabia que o infeliz, com certeza, se escondia ou num pé de cambucá ou num pé de abiu roxo, frutas que apreciava, embora pudesse estar, também, em velha mangueira, dessas de manga coquinho. E lá, com a rede na mão, ficava o velho gritando as palavras ensinadas também por dona Leni.

Umas sete madrugadas bem passou o coronel chamando o Familiá:

– Por Constantino, monarca, o sagrado soberano da cidade de Bizâncio! Pelo Santo Cipriano e a Cruz de Caravaca! Pela pedra colocada na porta do Paraíso! Aparece seu trem ruim, que eu sou seu proprietário, dono que te chocou! Desce de onde está! Obedece à minha voz! – gritava o fazendeiro, até que, enfim, conseguiu alcançar o amuleto, que aprisionou na rede.

E doutor Álvaro Cortes, orgulhoso da façanha de seu poderoso amigo, assegurava aos ouvintes que o amuleto danado, em seguida, foi lavado numa bacia de prata cheia de água de flor, tudo cravo de defunto, de acordo com a instrução da baiana benfeitora.

– Com isso, o Familiá voltou de cabeça baixa pra dentro do garrafão! – terminava a aventura, tornando a seu charutinho.

Outro fato controverso da história do capetinha é o destino que teve depois da morte do dono.

Uns dizem que permanece trancado no oratório da Fazenda São Felipe, enquanto num tribunal corre, com briga de herdeiros, o inventário do morto.

Outros até apostam que o talismã foi levado pelo filho de Brasília, o tal que é marajá no Senado Federal.

E há, também, os que juram – feito dona Marilinha, mulher de Tonim Maluco, um tipo que tira areia do leito do São Francisco, para construção civil – que viram o garrafão no caixão do coronel, quando ele foi enterrado.

O que deve ser o certo.

SAMBI, O GUERREIRO DA LUA

Quem foi que salvou Sambi?!

Como foi que aconteceu?!

Ele era um negro criado nos preceitos de sua fé e moço trabalhador.

Gostava de ser alegre.

Gostava de ser cantor, enquanto cortava cana.

Era escravo de um nobre, o Barão de Pedra Branca, dono de vastas terras, onde hoje fica a vila, sendo preciso, a cidade conhecida por Italva. Um lugar quase colado em outro, aliás, chamado Canto das Cachoeiras, na direção do horizonte, às margens do Muriaé, rio de corredeiras que vem das Minas Gerais, alcançando o interior lá do norte fluminense.

Pois conta lenda de lá, conservada pelos negros nascidos na região, que esse mesmo Sambi, um pacato servidor de seu posudo senhor, só por caso que se deu, parte do caso contado, sendo o resto inventado, tornou--se grande guerreiro, comandante de Quilombo, libertador de sofridos nos tempos que o Imperador (o primeiro Imperador, filho do rei João e pai de Pedro II) ainda era um garoto e mamava na mãe preta.

Tem o caso vida longa e, antes do acontecido, aconteceu que Sambi, negro novo, negro alto, tinha uma queda de amor por uma escrava mocinha, a Iraci, do Tibúrcio, outro escravo carapinha, negro velho, negro gordo, que viera com a filha lá das terras da Bahia.

Mais, acrescenta a história que vivia, no lugar, um doutorzinho abusado, o filho do tal Barão, um tipo que se engraçava e vivia perseguindo, querendo ter para si os amores da menina.

A menina, moça feita, recusava as cortesias, os presentes do senhor, as prometidas promessas.

E tanto fez recusar que, num dia de pavor, de desespero e torpor, Iraci se viu punida, amarrada e açoitada. Pois decidira o doutor ferir a beleza dela. Pôr fim no que havia nela e tanto ele desejava.

Tibúrcio, vendo que a filha (filha dele, na Bahia, com mãe que por lá ficara, não sendo pra cá vendida; índia que era escrava nas mãos de outro senhor) morria nas chibatadas da chibata do rapaz, correu aos canaviais, pedindo a alguém socorro.

Que salvassem Iraci!

Deu-se, então, o esperado, pela lenda insinuado. Lenda jamais esquecida.

Lá, da colina das canas, desceu Sambi feito fera.

Trazia nada na mão. Mais amor no coração.

E, no terreiro de pedra, bem defronte à Casa Grande da Fazenda das Pedreiras, numa briga de valente, enfrentou o tal do moço que açoitava a amada.

Foi, contudo, em covardia, acuado por capangas, dominado por feitor.

E foi, Sambi, amarrado noutro tronco do terreiro.

Por duas vezes sofreu.

Sofreu Sambi, em seu corpo, dura dor, forte castigo. Sofrendo, no coração, a dor de ver que matavam, com pancadas mais pesadas, a infeliz Iraci.

Dizem os negros de lá, da região de Italva, no Canto das Cachoeiras, que, naquela mesma noite de lua quarto crescente, Iraci subiu aos céus, fazendo-se lua cheia.

E dizem mais, que Sambi desapareceu do tronco onde estava acorrentado. Do tronco sendo levado para montanha distante, lá na linha do horizonte.

O que os negros não explicam é quem foi que o levou! Quem deu fuga pra Sambi!

Segredo que não revelam, passado de pai pra filho, guardado por gerações, com seu sabor de vitória e sem contação de prosa, por tudo o que aconteceu.

Esclarecem o mistério com outra revelação.

E, assim, se enfeita a lenda.

Dizem que foi ave grande.

Um imenso quero-quero!

Ou um gavião-real bem maior do que um condor!

Pássaro gigantesco, animal desconhecido que, descendo das alturas, no meio da noite escura, desatou o pobre moço, levando Sambi nas asas. Voando para o local onde ele se escondeu.

Muitos capitães-do-mato foram no encalço dele.

Queriam de vez matá-lo.

Tudo em vão. Nada encontraram.

Também acrescenta a lenda que, curado da ferida gravada no corpo inteiro, Sambi soube o que fazer.

– Não virou canhambora, escravo fujão e feio, infeliz e destroçado, que vaga sujo nas matas, nos cantos das capoeiras, nos buracos dos barrancos, espreitando os povoados, as vilas e as estradas, fazendas e plantações, assustando a criançada e roubando qualquer coisa, comida, arma ou mulher! – relatava dona Quinha, velha que se dizia neta de um bisneto de um filho de Sambi, no Canto das Cachoeiras. – Não! De maneira alguma! Não foi assim o destino desse negro valoroso!

E completava a velhota, muito alegre, satisfeita com as valentias do moço:

– Virou herói de sua gente! Ao se fazer guerreiro, tirou ele, lá da lua, da lua cheia no céu, onde encontrou Iraci, o fogo que precisava! E com esse fogo marcou o lugar em que estava!

Bem distante, no horizonte, armado com sua chama, Sambi, feito um comandante, sinalizou para os negros, aos escravos do Barão e a outros, na escuridão, os atraindo até lá, onde criaram Quilombo.

Local que fortificaram, com duras lutas travadas.

Quando invadia as fazendas para libertar escravos, comandando seus valentes, Sambi levava esse fogo que a amada lhe passou do alto do firmamento.

Nas noites de lua cheia, namorava Iraci, que era luz, no céu da Terra, iluminando o guerreiro.

E cada estrela cadente era um filho de Sambi, que Iraci lhe concedia. Fato que se sabia, pois logo vinha ao Quilombo outro negro libertado, alcançando vida justa com a sua liberdade.

O ANHANGÁ E A TRIBO TATU BRANCO

No fundo da mata escura, seja na Mantiqueira ou nos sertões das Gerais, quando as bandeiras acampam e descansam os seus homens, o movimento de um bicho, o pio de um passarinho, o zumbido de um inseto, o vento leve, uma brisa balançando as folhagens, uma agitação nos galhos das árvores mais altas, tudo isso pode ser sinal de grande perigo.

Assim, parados no mato, aqueles desbravadores estão sempre em alerta. Mesmo se dormem à noite, mais parecem acordados. E não se negam à luta.

Ainda que corajosos, claro que temem as feras! E temem, também, os índios, se são de nações bravias!

Sempre temem a presença do invencível Anhangá! E a certeza da morte, se a bandeira é atacada por guerreiros de uma tribo que garantem existir e chamam de Tatu Branco.

Mas quem é o Anhangá? E quem são os Tatus Brancos?

Como são suas histórias constantemente lembradas pelos chefes das bandeiras para impressionar seus homens com medo e ódio dos índios que aprisionam como escravos para vender nas vilas e nas fazendas de cana, em toda a capitania?! Em meio às controvérsias e às muitas desgraças que acontecem nas matas, muito se diz de um e, também, se diz dos outros!

Falam que o Anhangá é feito alma sem corpo. Um espectro que vaga. Contam que espalha medo. Que é espírito maligno, aparentado do demo. Que é sempre coisa ruim para todo o caçador, seja branco, seja índio, mas é bom para a floresta, quando ele encarna num bicho e defende a mata escura, protegendo os animais.

Quase sempre quando é visto, é Suaçu-Anhangá. O Anhangá encarnado em um veado-campeiro, ou num grande catingueiro, ou em galhudo mateiro.

Branco, vermelho ou pardo, é bicho que solta fogo pelo olho, pela boca e, também, pelo nariz. Que tem estrela na testa, com muitos pelos nos chifres.

E não há como matar um Suaçu-Anhangá.

Dele só resta fugir.

Quando aparece e investe contra o infeliz caçador, é capaz de mastigar, como se fosse uma cana, o cano de qualquer arma.

Ai daquele que encontra esse Anhangá encarnado!

Pega febre. Fica louco. Tem o percurso da vida marcado só por tragédias. Isso quando sobrevive!

Ai daquele caçador que caça bicho com cria!

Ai daquele que ataca algum filhote de bicho, uma fêmea por parir ou passarinho com ninho!

Pobre do pescador que pesca em plena desova dos peixes num ribeirão, em lagoa ou queda de água!

Com certeza, Anhangá jamais irá perdoar!

E não tem só Anhangá encarnado em Suaçu.

Tem Anhangá de paca, de tatu, de capivara, de anta e tamanduá. Anhangá de muita ave. Anhangá de jabuti. Anhangá que é de macaco, vigiando a mata escura. Protegendo os animais. E tem até Anhangá que, encarnado num peixe, persegue e afunda os barcos que pescam onde há desova. De todo o bicho caçado, sempre existe um Anhangá. Assim como Anhangá sempre prepara armadilhas contra aquele caçador que descumpre seus preceitos e abusa com maldades.

Bem conhece essa história dos modos do Anhangá, um certo Manuel Pitanga, ferreiro em Piratininga, que, caçando uma anta, em mata nas cercanias do Tamanduateí, aprisionou o filhote.

Querendo pegar a anta, pôs-se a ferir a cria.

Escondendo-se atrás de um grande jequitibá, cutucava e perfurava com um facão afiado o pequenino animal. Agia dessa maneira na esperança de que a mãe viesse em busca do filho, ao ouvir os seus grunhidos. Assim, também preparou a sua arma de fogo para matar a anta, quando ela aparecesse.

Sem demora, o ferreiro viu o bicho vindo às pressas à procura da cria. Impiedoso, atirou!

Acertou a anta em cheio. No meio de sua testa.

Mas, decerto, não era anta. Era armação de Anhangá que veio, assim, encarnado, para se vingar do homem que machucava o filhote.

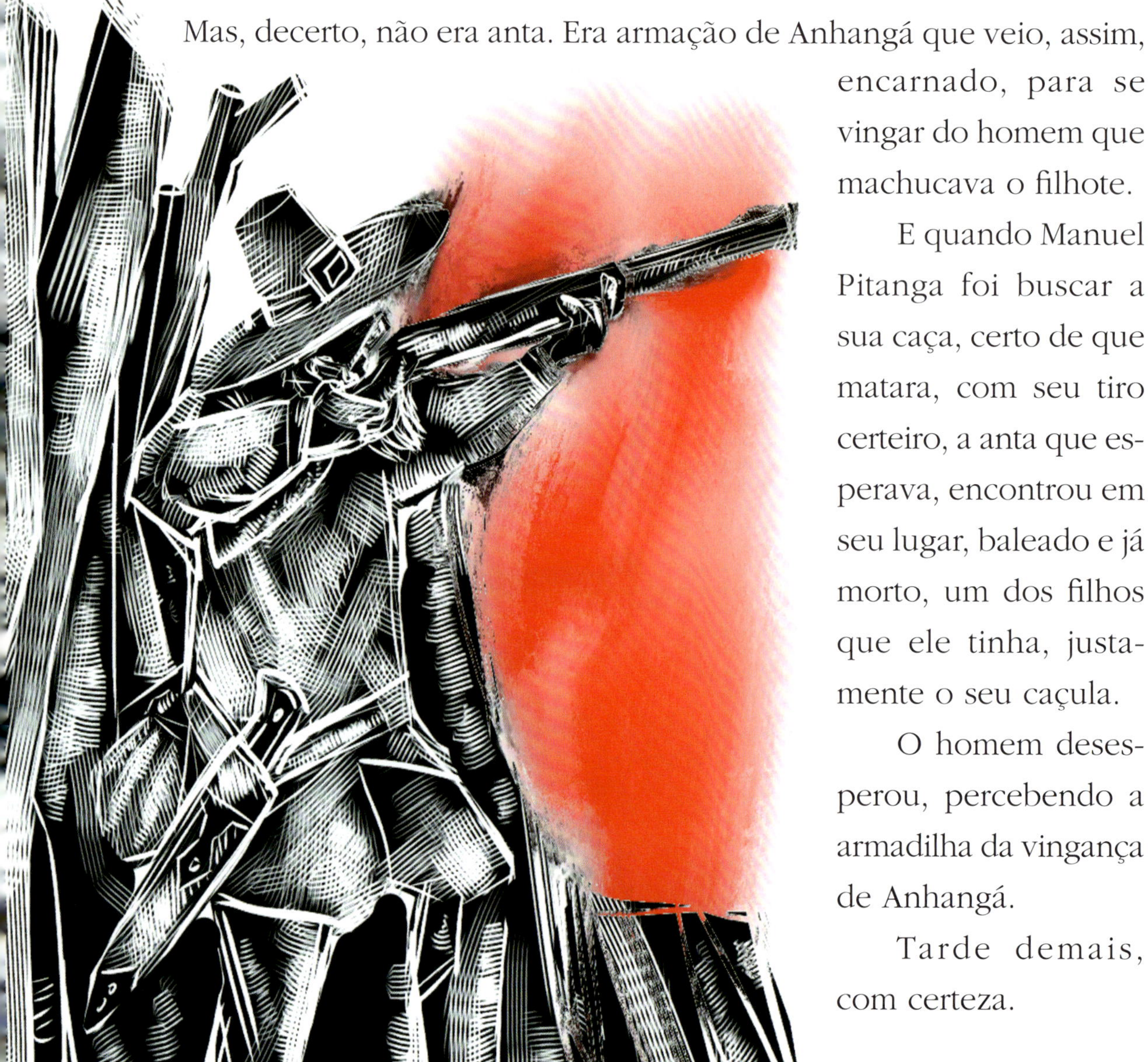

E quando Manuel Pitanga foi buscar a sua caça, certo de que matara, com seu tiro certeiro, a anta que esperava, encontrou em seu lugar, baleado e já morto, um dos filhos que ele tinha, justamente o seu caçula.

O homem desesperou, percebendo a armadilha da vingança de Anhangá.

Tarde demais, com certeza.

Os guerreiros da noite

E quem são os Tatus Brancos, que os homens, na mata, temem tanto quanto temem o invencível Anhangá?

Com certeza, são valentes. Guerreiros, se é que existem.

Índios que chegam à noite sem se deixar perceber e, quando menos se espera, tratam de destruir aqueles acampamentos que decidem atacar.

Agem com rapidez.

Dizimam as suas vítimas. Não deixam sobreviventes.

E, bem mais, o que se diz dessa tribo Tatu Branco vem de história que viveu o português Pedro Gago, na ocasião agregado à famosa bandeira de Fernão Dias Pais Leme, que escravizava índios e procurava esmeraldas nas águas misteriosas do lago Vupabuçu, perto do Jequitinhonha, bem no alto das Gerais.

Pedro Gago que sumiu do acampamento em que estavam os homens de Fernão Dias. Que foi tomado por uns apenas como fujão, desses que o bandeirante, quando reencontrava, mandava logo enforcar. Mas, por outros, era tido como mais um homem morto em toda aquela empreitada, matado por índio bravo, por fera ou por doença.

O certo é que Pedro Gago desapareceu em noite muito triste para todos que viviam na bandeira, quando um grupo de valentes, onde ele se incluía, buscando posto avançado, no percurso que seguiam, deparou-se com desgraça. Fato que, naquela época, ninguém soube explicar como foi que aconteceu.

O que se pode intuir é que esse grupo de homens foi atacado por índios, numa passagem de noite.

Metade morreu de flecha. Outro tanto, estraçalhado.

Não houve sobreviventes, conforme se constatou.

O estranho da história é que, dentre tantos corpos encontrados na clareira onde foram massacrados, faltava o de Pedro Gago.

Daí que ele pegou a fama de ser fujão.

Daí que alguns pensaram que, se havia escapado daquela carnificina, só podia estar morto e, seu cadáver, perdido.

Contudo, foi encontrado na mata, após passados dois anos. Cabeludo e barbudo, cheio de carrapatos e coberto de piolhos, mais feio do que um bicho. Feito uma alma penada. Contando uma história estranha, difícil de acreditar.

Afirmava que, na noite em que se deu o massacre, ele se viu carregado para um fundão de gruta, onde se escondia a tribo dos temidos Tatus Brancos, responsáveis pelo ataque àquele grupo de homens da bandeira de Pais Leme.

Eram índios grandalhões. Tinham a pele clara, quase amarelada. E cabelos todos brancos.

Sempre viviam em grutas e seus olhos se feriam, se saíam sob o sol. Mas enxergavam à noite, como se fosse dia.

Assim, cumpriam vingança, quando tudo escurecia, matando qualquer vivente que perturbasse o sossego das terras que dominavam.

Contou, também, Pedro Gago, que a tribo misteriosa tinha por triste costume sempre manter com vida alguém, dentre suas vítimas, para beber o seu sangue, após cumprido o confronto. Que por isso foi levado, inteiro e vivo pra gruta.

Em seguida, adiantou que, ao chegar na caverna dos terríveis Tatus Brancos, a rainha dessa tribo, senhora desses guerreiros, afeiçoou-se por ele, impedindo o sacrifício que aquele povo morcego pretendia completar.

Salvo da morte horrível, por um tempo ele passou feito escravo da rainha, servindo de seu marido.

E ela se apaixonou.

Era muito vigiado e nunca deixava a gruta dos guerreiros Tatus Brancos, sempre prontos pra atacar, no meio da noite escura, qualquer grupo de bandeira.

Assim viveu uns dois anos, no gosto de sua dona.

Tinha medo. Tinha horror.

E, para sobreviver, chegou a comer carne humana. O que fez, sendo obrigado, pedindo perdão a Deus por cumprir esse pecado sob ameaça de morte, com lança de Tatu Branco encostada em seu pescoço.

Foi numa noite de chuva, com aguaceiro medonho, que se aproveitou da vez e escapou da caverna.

Na gruta, todos da tribo estavam embriagados, fazendo festim maldito, onde se bebeu o sangue e se fez cruel banquete com a carne de três coitados, antes aprisionados.

Fugiu sem saber pra onde, enfrentando a tempestade e os perigos da mata.

Claro que foi perseguido. Claro que foi ferido. Mas conseguiu escapar, se escondendo em tronco podre de uma grande aroeira tombada pelo caminho.

Pela manhã, sentiu forças e avançou na andança.

Seguia o nascer do sol porque sempre imaginava que, fazendo desse modo, alcançaria o mar, encontrando alguma vila.

Comia folha de planta, raiz e bicho rasteiro. Comia inseto e minhoca. Ovo de passarinho. Frutas, se encontrava.

Não parava de andar. Sempre por perto de rios. Sempre na rota do leste.

E tinha de andar de dia, quando não tem Tatu Branco.

À noite, se escondia.

Assim, foi virando bicho, mas, por isso, se salvou da vingança do Anhangá, que cercou o seu caminho.

Era um veado-mateiro. Um Suaçu-Anhangá, bastante agigantado. Tinha a galhada peluda e os olhos feito fogo.

Se olhou pra Pedro Gago, mais do que isso não fez. E lhe abriu o percurso, com certeza imaginando, por toda a sua feiura, que Pedro era apenas fera, um outro bicho do mato.

Só por ver o Anhangá encarnado no mateiro, Pedro Gago desmaiou. Ficou até a noitinha, completamente perdido dos sentidos de sua vida.

Correu risco de morrer, de ter sido estraçalhado por animal da floresta, picado por uma cobra, mas despertou são e salvo, com movimento de homens se aproximando dele.

Era um grupo que compunha a bandeira comandada pelo genro de Pais Leme, o capitão Borba Gato, que vinha à cata de ouro nos sertões das Gerais.

Pedro Gago viu-se salvo. Levado pra São Vicente, no mar da capitania, agregado a uma igreja, como pedreiro e pintor, artesão de construção.

Sempre contando história da tal tribo Tatu Branco, era tomado por doido.

Havia os que acreditavam na fabulação de Pedro, pensando que nas Gerais vivia essa estranha tribo com seus temidos guerreiros, que se guardavam em gruta, bebendo sangue de gente.

Alguns achavam loucura, triste doença dos nervos, a invenção dessa lenda pelo infeliz Pedro Gago.

Diziam que era fujão da bandeira que seguia. Que na fuga, sem destino, ou por obra de Anhangá, o pobre Pedro endoidou.

Mas tanto uns como outros, entrando na mata virgem, logo se preocupavam com a presença de Anhangá. E, chegando a noite escura, não escondiam seus medos de um ataque furioso da tribo dos Tatus Brancos.

A MALDIÇÃO DO FANTASMA PÉ-DE-LOUÇA

Ai daquele que encontra um fantasma Pé-de-Louça nessas praias que se esticam desde a Ponta do Picão, passam por Sepetiba, chegam a Itaguaí, alcançam Mangaratiba e vão além da baía que rodeia Ilha Grande, no litoral fluminense!

Se vê a louça brilhante do pé de um Pé-de-Louça, é conta mais do que certa, o sujeito endoidece! Fica completamente abalado do juízo!

Ai de quem dá de encontro com essas almas penadas dos sofridos pescadores que perderam suas vidas trabalhando em alto-mar, com as almas pecadoras dos náufragos dessas águas, com esses fantasmas que vagam nas areias dessas praias!

Se não tapa os dois ouvidos, se não fecha os próprios olhos e se não vira de costas, apressando, logo, os passos, depois de bem se benzer, fazendo o sinal da cruz, para esconjurar o demo, não tem jeito, nem conserto!

Fica conforme está o pobre Nando Praiano que, na Praia do Morcego, triste cantão de Ilha Grande, encontrou um Pé-de-Louça!

Andava Nando Praiano naquela praia da ilha, com certeza à procura daquilo que não devia, já que a Praia do Morcego é cheia de maldição, plena de mundo assombrado, sendo lugar de pirata, noutros tempos dessas terras.

Diz que, primeiro, ele ouviu:

– Moço... Moço... Moço amigo... Pescador... – uma voz rouca, chamando, sem lhe aparecer. – Moço de praia e água dessa baía tão grande... Moço... Moço de Mangaratiba... – prosseguia a voz estranha.

Nando voltou. E olhou.

Caçou junto ao matagal e em torno das areias.

Nada de nada ele viu!

Só ouvia o chamado da voz, que continuava.

Sem ver, Nando prosseguiu, sozinho, naquele ermo.

Muito desconfiado, só queria saber quem era a voz que apelava!

De repente, eis que a voz ficou perto. Junto das costas de Nando.

Foi quando ele se virou e deparou com o fantasma! Era um homenzarrão! Um Pé-de-Louça barbudo, alto, bastante feio e com cara de sofrido! Mais que branco... Amarelado!

Na hora, não se cuidou! E acabou vendo os pés do perverso Pé-de-Louça!

Isso, ele me contou, quando já endoidecia, ainda na mesma semana do triste acontecimento na Praia do Morcego.

– O infeliz, no instante que me olhou, apenas riu, seu Lineu... Nem falou nada, o danado... Riu, um tanto debochado... Feito quem cumpre vingança... – Nando me revelou, tremendo de medo da história. – Ele tinha os pés imensos, tudo de porcelana. Tinha o corpo, mais a cara igual a de qualquer homem, só que muito destruído... Feio de assustar...

Procurou tapar o olho, para não ver mais aquilo, que ele já havia olhado. Virou-se e correu depressa... Porém, sem qualquer valia.

Pobre de Nando Praiano! Já estava contaminado com a terrível maldição!

– O bicho nem veio atrás... Ficou lá onde ele estava, ou sei lá onde ficou, porque nem olhei pra trás. Só sei que quando dei conta, correndo, desesperado, já me encontrava distante da Praia do Morcego. Bem longe! Graças a Deus! – se benzia, assustado. – Será que ele fez a praga, compadre?! Que fez o serviço dele?! Será que a maldição já está grudada em mim?! Será que já estou perdido, seu Lineu?!

Que dizer?!

Que responder?!

Era o melhor pescador que me servia no barco. No *Estrela da Manhã*, onde sou chefe de turma! Além disso, meu compadre!

Claro que estava perdido! E, agora, está aí! Completamente pancada! Maluquinho de dar pena! Pensando que é Getúlio Vargas!

– Trabalhadores do Brasil! Podem acreditar! Quem se matou foi um outro! Não fui eu, quem se matou! – agitado, passa o dia gritando pra todo mundo, nas areias da Restinga, nas praias de Sepetiba, na praça de Itaguaí, no largo da igrejinha, em Mangaratiba, até em Angra dos Reis.

Anda um bocado, o coitado, espalhando que é Getúlio redivivo, levando uma molecada que sempre implica com ele:

– Nando Pé-de-Louça! Que Getúlio, o quê! – debocham.

– Nando Pé-de-Louça! Getúlio já morreu! – provocam.

Endoidando ainda mais o pobre Nando, que, com pedra e pau que cata nas ruas, corre atrás dos moleques, fazendo cena de dar pena, louco sem remédio, ainda que tenha chegado a essa sua doideira um tanto vagarosamente, desde o sucedido na lonjura isolada lá da Praia do Morcego.

Pois é assim que acontece com quem vê os pés de um Pé-de-Louça.

E foi o que aconteceu.

Depois que ele viu o trem, Nando trabalhou três dias no *Estrela da Manhã*, sem dar muito o que notar. Só que, um tanto agitado, falando demais na história daquilo que tinha visto, com o medo crescendo nele.

Disso, apareceu no barco, fumando um grande charuto, sem dar conversa a ninguém.

Olhava de lado, desconfiado, num sorriso esperto, feito quem sabia de coisa que a gente nem imaginava. Mas trabalhava bastante. E, assim, não parecia uma figura tão estranha.

Depois, veio com bombachas, umas calças de gaúcho.

Daí, de terno e gravata. Na hora da pescaria.

O que ficou esquisito.

Todo dia, aparecia. De bombachas ou de terno e sempre fumando charuto. Com o olhar desconfiado, mais o seu sorriso esperto.

Não relaxava com a pesca.

Armava a rede. Caia n'água. Recolhia os peixes. Separava. Distribuía o pescado para as vendas.

Sempre no bom esforço!

Às vezes, fazia de conta que fumava o charutão. Não mais do que um bagaço de charuto molhado pelo mar.

Por essas coisas, começou a crescer certa estranheza entre os outros pescadores. Embora eu pedisse calma, no *Estrela da Manhã* já tinha gente temendo.

Um dia, João Mineiro, companheiro antigo de barco, veio a mim:

– O que acontece com Nando é que nem aconteceu com um cunhado meu, seu Lineu... – falou, muito apreensivo. – Em uma semana, completa de vez a maluqueira dele. Endoidecendo, vai ficar impossível. Acho que ele não pode mais trabalhar. É coisa até perigosa, pra ele e pra gente.

Contou do cunhado que antes vivia agregado em fazenda no correr do rio Urucuia, numas terras do município de Buritis, Minas Gerais.

– Lá, também, tem um troço parecido com esse que assombrou o Nando. É o Pé-de-Garrafa. Bicho-Homem barbudo e feio, feito o Pé-de-Louça, mas com uma perna só e o pé feito um fundo de garrafão. Mora em mata, igual se esconde nas capoeiras de beira-rio, deixando seus rastros, perseguindo e apavorando os viventes. Meu cunhado encontrou com um desses e sumiu, doidinho, pelas buraqueiras do sertão. Às vezes, volta. Aparece na casa de minha irmã. Quebra tudo. É uma desgraça, seu Lineu. Depois se afunda, outra vez, nos matos, seguindo o Pé-de-Garrafa. O que o pessoal teme é que Nando cumpra sua loucura num dia de pescaria, dentro do barco, fazendo quebradeira e pondo em perigo todo mundo – detalhou.

Pedi paciência.

João Mineiro garantiu que tinha.

– Mas nem todo mundo tem, seu Lineu. A turma anda nervosa – completou.

No barco era só essa conversa, com ninguém mais à vontade perto de Nando Praiano.

O Bradador Paulista

De outra feita, terminado o serviço do dia, ao entrar no boteco do Alaor, deparei com o velho Osório Louro assustando os homens com a história de um certo Bradador que existe no sertão de Batatais, em São Paulo, pra cima de Altinópolis, quase alcançando Minas.

Logo Osório Louro, sempre tão fiel no serviço comigo! Agora, ali, plantando medo e cizânia entre nós.

Fiquei na espreita, ouvindo.

– É pior que o Pé-de-Louça, mas o resultado é o mesmo, sendo tudo portador de maldição. E maldição que pega! – acentuou.

Entrei no assunto, afirmando que não acreditava nesse Bradador. Nem no Pé-de-Garrafa. Muito menos no fantasma Pé-de-Louça.

Mas claro que acreditava, pois já tinha visto outros casos de gente que endoidecia por causa das artimanhas do maldito.

Se inventava minha descrença, era para acalmar os homens.

Bobagem que eu fiz. Conforme bem vi, depois.

Osório Louro, sentindo-se desmentido, voltou à carga com a história, carregando nas tintas e assustando ainda mais o pessoal.

– O caso, seu Lineu, é que um vaqueiro, desrespeitoso feito ele só, resolveu cuidar do gado, dando de tirar leite e pastoriar na Sexta-feira da Paixão. Só podia ter o demo no corpo, numa hora dessas pra fazer tal coisa. Daí?! Sumiu! Virou o Bradador. Disso, fica berrando nas estradas, atentando quem passa e enlouquecendo quem segue os gritos dele. E olha que isso aconteceu em Minas, com a tentação, agora, atormentando São Paulo, bem nas terras onde eu nasci – frisou. – É que nem um Pé-de-Louça. E ai de quem enlouquece por obra dele! Vira uma fera, seu Lineu! Isso quando não se perde pelos matos, atrás do Bradador! – concluiu, em tom de desafio. – Por mim, o senhor devia tomar alguma providência com o Nando!

O que não precisei fazer.

Três dias depois, Nando Praiano sumiu do trabalho.

A princípio, não me preocupei em procurar por ele.

Certo de sua perdição, dei um tempo, esperando passar a tormenta, para acertos de ajuda à família do coitado.

No domingo seguinte, à noite, saindo da reza, na igrejinha em Mangaratiba, cercou-me a comadre Dulce, mulher de Nando Praiano:

– Compadre Lineu Areias! Nando não pode trabalhar mais... Está mal o Nando, compadre...

– Já imagino, comadre...

Foi quando soube, então, que Nando se dizia Getúlio Vargas, não havendo quem fosse capaz de convencer o infeliz do contrário. Daí, entendi melhor a razão do charuto. Das bombachas. Do terno. O olhar de lado, desconfiado. E o sorriso esperto, nos últimos dias em que trabalhou conosco.

Imitava o velho presidente.

– Vira um bicho bravo, compadre, se a gente diz pra ele que Getúlio já morreu... Parece mesmo que é coisa do Pé-de-Louça que ele viu na Praia do Morcego. Só queria saber o que Nando foi fazer lá, compadre! Naquela lonjura! – insinuou a pergunta.

Eu que não ia dizer, nem arriscar uma resposta, porque, pra mim, Nando Praiano tinha ido lá em busca de farra com namorada e, no castigo de Deus, o que lhe apareceu mesmo foi o Pé-de-Louça.

– Não sei, comadre... Nunca soube... Mas pode sossegar que nós vamos pôr em ordem a aposentadoria do Nando. Além disso, manda o Denelson, meu afilhado, me procurar no escritório da cooperativa de pesca. Ele já tem idade. Se tiver jeito, vem trabalhar com a gente – me adiantei, indo à conversa que a comadre, na verdade, queria comigo.

– Ah! Compadre! Que bom! Deus abençoe! – agradeceu. – Queria, também, que o senhor não deixasse internar o Nando no hospício. Eu cuido dele. Internado, a gente vai ficar sem ele pra sempre... – implorou, chorosa.

– Sossega, comadre! Ninguém interna o Nando, não! – garanti.

Artimanhas finais

Claro que não internaram!

Nando se aposentou. E Denelson veio trabalhar comigo, sendo bom feito o pai. Um rapaz cem por cento!

Às vezes, Nando Praiano aparece lá em casa, metido no mesmo terno, que já anda bem puído... Ou com as velhas bombachas... E o charuto entre os dedos...

É sempre assim que aparece...

Bate com a mão espalmada no peitoril da varanda, gritando de onde está, em tom de quem faz discurso:

– Vou pra Brasília, compadre! Tomar o lugar que é meu por direito de poder! Em breve!

Isto, quando se acha disposto. Deprimido, a conversa é outra:

– Seu Lineu... seu Lineu... O senhor sempre foi um pai pra mim... Me ajude, seu Lineu! Em Brasília, os traidores estão tomando de volta tudo o que eu dei pro povo, seu Lineu... Meu povo anda abandonado! Me ajude, seu Lineu! – lamenta, quase em prantos.

Tem vez, porém, que vem exaltado, bastante alegre, sei lá eu por quê:

– Seu Lineu! Ê! Meu compadre! Agora, o petróleo é nosso! – grita, feliz da vida.

De início, ralhava com ele:

– Cessa dessas coisas, Nando! Esquece essa história de Getúlio! Volta pro barco que te dou emprego, compadre! – insistia.

Claro que nunca me ouviu.

Inclusive, contrariado com minha reação, certa vez, puxou faca contra mim, me chamando de conspirador comunista, entreguista do Brasil para os norte-americanos. Ficou tão furioso que parei de ralhar, fingindo que acreditava nas birutices dele se dizendo Getúlio Vargas.

Esta semana, soube que ele chama a comadre Dulce pelo nome de Darci. Já o filho, Denelson, Nando Praiano chama de Lutero. Gildete, a filha, agora é Alzirinha. Todos com os mesmos nomes dos familiares de Getúlio.

O pior é que respondem, atendendo ao pai, que chamam de presidente.

Qualquer dia, acreditam que são a própria família Vargas.

Daí, não hei de me espantar, se Nando chegar a ser governo, em Brasília.

Artimanhas da maldição do fantasma Pé-de-Louça!

BIBLIOGRAFIA BÁSICA

AMARAL, Luís. *As Américas antes dos europeus*. São Paulo, Cia. Editora Nacional, 1946.

BALDUS, Herbert. *Lendas dos índios do Brasil.* São Paulo, Brasiliense, 1946.

BAYARD, Jean-Pierre. *História das lendas.* São Paulo, Difusão Europeia do Livro, 1957.

BRAY, Frank Chapin. *Bray'University Dictionary of Mithology.* New York, Th. Y. Crowell Inc., 1964.

CAMPBELL, Joseph. *O poder do mito.* São Paulo, Associação Palas Athena, 1991.

CARNEIRO, Edison. *A conquista da Amazônia.* Rio de Janeiro, M.V.O.P., 1956.

CASCUDO, Luís da Câmara. *Dicionário do folclore brasileiro.* Rio de Janeiro, Instituto Nacional do Livro, 1962.

__________. *Geografia dos mitos brasileiros.* Rio de Janeiro, Liv. José Olympio Editora, 1947.

__________. *Contos tradicionais do Brasil.* Rio de Janeiro, Edições de Ouro/Ediouro, 1970.

__________. *Mitos brasileiros.* Rio de Janeiro (Cadernos de Folclore, 6), MEC – Departamento de Assuntos Culturais, FUNARTE, 1976.

COSTA E SILVA, Alberto da. *Antologia de lendas do índio brasileiro.* Rio de Janeiro, Instituto Nacional do Livro, 1957.

DIÉGUES JÚNIOR, Manuel. *Regiões culturais do Brasil.* Rio de Janeiro, INEP, 1960.

DONATO, Hernani. *Dicionário de mitologia* [Afro-Ameríndia]. São Paulo, Cultrix, 1973.

GIRAUD, F. *Mitologia general.* Barcelona, Editorial Labor, 1962.

GOMES, Lindolfo. *Contos populares do Brasil.* São Paulo, Melhoramentos, 1947.

LACERDA, Nair. *Maravilhas do conto mitológico.* São Paulo, Cultrix, 1959.

LEITE, Mário R. *Lendas da minha terra.* Goiânia, Bolsa de Publicações Hugo de Carvalho Ramos, 1951.

LOPES NETO, Simões. *Contos gauchescos e lendas do Sul.* Porto Alegre, Liv. Editora Globo, 1957.

MORAIS, Raimundo de. *O meu dicionário de coisas da Amazônia.* Rio de Janeiro, 1931.

NINA, A. Della. *Enciclopédia universal da fábula*. São Paulo, Editora das Américas, 1959. V. XXXI.

ORICO, Osvaldo. *Vocabulário de crendices amazônicas*. São Paulo, 1937.

RAMOS, Arthur. *As culturas negras do Novo Mundo*. Rio de Janeiro, Civilização Brasileira, 1937.

RHINNELLS, John R. *Dicionário das religiões*. São Paulo, Cultrix, 1989.

ROMERO, Sílvio. *Folclore brasileiro*. Rio de Janeiro, Livraria José Olympio Editora, 1957.

SPALDING, Tassilo Orpheu. *Dicionário de mitologia greco-latina*. Belo Horizonte, Livraria Itatiaia, 1965.

SPROUL, Bárbara C. *Mitos primais*. São Paulo, Siciliano, 1994.

STEPHEN, Larsen. *Imaginação mítica*. Rio de Janeiro, Campus, 1991.

VÁRIOS AUTORES. *Brasil – histórias, costumes e lendas*. São Paulo, Editora Três, 1976.

VÁRIOS AUTORES. *Mitologias*. São Paulo, Abril Cultural, 1973. 3 v.

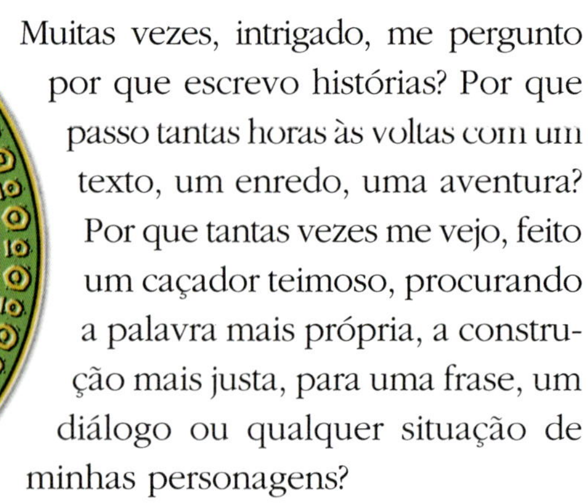

Muitas vezes, intrigado, me pergunto por que escrevo histórias? Por que passo tantas horas às voltas com um texto, um enredo, uma aventura? Por que tantas vezes me vejo, feito um caçador teimoso, procurando a palavra mais própria, a construção mais justa, para uma frase, um diálogo ou qualquer situação de minhas personagens?

E se não escrevo, me intriga ainda essa minha mania de inventar casos para amigos. Gosto quando esses amigos se divertem, atentos, com as aventuras que lhes conto. E fico imaginando meus leitores. Suas viagens por minhas histórias. Juro! Não faço isso porque sou mentiroso! Trato mais de fazê-lo pelo prazer da fantasia, pelo gosto da criação, feito hábil viajante sonhador, às voltas com andanças que inventa e segue, sua vida, por esses lances de dados. Brincando com os acontecimentos inventados, feito quem brinca com surpresas.

Fiquei muito feliz em desenhar esta obra. Sou amigo do Arrabal há bastante tempo e acho que ele é um grande contador de histórias. Sua maneira de escrever me influenciou muito. Mergulhar neste universo exuberante das lendas brasileiras através do seu texto cheio de música, humor e poesia foi realmente uma viagem prazerosa.